物語を作る魔法のルール

「私」を物語化して小説を書く方法

山川 健一

藝術学舎

装画　鮎川陽子
ブックデザイン　松 利江子
DTP　小宮佳将

はじめに

物語とは「私」を理解するための大きな器である。この器は一定の法則、ルールにしたがって形作られている。物語にはいわば魔法のルールが隠されているのだ。それを明らかにするのが物語論（ナラトロジー）である。世界には無数の物語論が存在するが、僕らに最適なロジックを構築する必要がある。

この本の目的は、ルールの存在を知り「私」を物語化する方法を学ぶことだ。そいつは小説を書くための最適なレッスンになるはずだ。

本書を最後まで読んで、物語の構造を発見し、あなたにも小説を書いてほしいと僕は願っている。その過程で、あなたは「私」が癒されていることに気がつくだろう。

物語を作る魔法のルール　もくじ

第2編 ― 小説を構想する

第3編——発語以降

課題【ジェノバの夜】

あなたにとっての「ジェノバの夜」を400字詰め原稿用紙5枚~10枚で書いてください。できあがったら、それがあなたのスタート地点なので、今後折に触れて読み返してみること。

課題【概要】

太宰治の『メリイクリスマス』を読み、概要を400字詰め原稿用紙2枚以内にまとめてください。

課題【欲求の欲望化】

あなたにとっての欲求と欲望の差について原稿用紙2枚で論じてください。

1章 ストレッチ

恋する中学生のような発語の不可能性

ストレッチをやりたいと思う。コンサートの前にミュージシャンは楽器のチューニングをするだろう。ヴォーカリストはストレッチをする。それと同じだ。

本書の目的は2つ。「自分探しの旅」の地図の役割を果たすこと。そしてもう1つは「プロの作家を育成すること」だ。2つは別々のことのように見えて、じつは同じ1つのことなのだ。物語の力がそれを可能にする。最初のストレッチでまずはそれを理解してほしいと思う――ということでスタートしよう。

小説やマンガを書くという行為、映画やゲームを制作するという行為は、2つの段階に分けられる。「発語以前」と「発語以降」だ。僕の専門は小説を書くことなので、おもに小説を念頭に置きながら「発語以前」について考える。

発語というのは、言葉を発するという意味だ。「おはよう」と声に出して言うのが発語だ。

発語の不可能性とは、それができない状態のことだ。

誰かと会って、「おはよう」と言えない状態は想像しづらいが、あなたが中学生だった頃を思い出してみよう。

よく晴れた日の朝、通学路であなたが密かに好意を寄せている相手とばったり会ったとする。その時にすんなり「おはよう」と言えるだろうか？

多分、言えない。

それが最もシンプルな発語の不可能性だ。

朝の挨拶でさえすんなり言えないのだから、「好きです」なんて到底言えそうにもない。

あなたは高校生になり、大学生になり、恋の告白も終わり、甘い時間を過ごし、しかし事情があって別れた。それからさらに3年の月日が過ぎ、夕方バスのロータリーでスマホを片手にバスを待っていると、かつての恋人の横顔が目の前にある。

その時に、気軽に声をかけられるだろうか。普通は、なかなか難しいだろう。

あるいは、過去にひどいことをされ、腹の底から憎んでいる相手と偶然出会った時。何か言葉を発することができるだろうか。

つまりいろいろなパターンの発語の不可能性があるということだ。発語する――それは、日常生活ではごく普通の行為だが、考えてみればなかなか複雑な構造を持っているようだ。

新聞の論説委員をやっていた、昨年亡くなった友人が高校の頃にこんなことを言っていた。

「ずっと山の奥で生活していた人間が、初めて海を見たとするだろう。驚きのあまり、『うーッ』と叫ぶ。それで海という言葉が生まれたんじゃないかな」

先日お墓参りに行ったのだが、その時に僕が思い出したのも彼のこのロマンティックな説である。

言葉はまず音声として生まれた。物語は文字で記録される前に、語り部と呼ばれる人たちによって音声として語られたのである。やがて文字が生まれ、言葉は記録されるようになり、時間と空間を越えて情報を伝達することが可能になった。

幼い子供が初めて文章を読む時、彼らは言葉を声に出して読む。つまり音読する。やがて黙読するようになるためには、飛躍的な成長が必要なのだ。

大人になると文章を読むだけではなく、書くようになる。

この時に、書き記す文章にも「発語」という概念が生じたのである。

つまり小説における「発語」とは文章を書き記すことであり、とりわけ新しい小説の1行目を書くことだ。この時にも冒頭で紹介した「おはよう」と「好きだ」で難しさが異なるように、その困難性には大きな開きがある。「パンとバターを買っておいてね」という書き置きのメモから、長編小説の1行目まで、様々な発語があるわけだ。

「毎日書こうとはするんですが、なかなか1行目を書き出すことができません」——という人は多い。

それが発語の不可能性だ。

でも、なぜ?

その理由は、たとえば「恋をしている中学生」のような状態にあるからだ。あるいはかつて愛し合い、しかし別れなければならなかった恋人、あるいは憎しみの塊のような状態になってしまっているからだ。

つまり、内面的なテンションが高いからこそ発語できないのである。

小説を書く人間にとって、これは悪いことではない。僕らは「パンとバターを買っておいてね」というような小説が書きたいわけではないからだ。

執筆中の作品が途中で止まってしまうのは、発語が上手くできていないからだということに早く気がつかなければならない。つまり、1行目がちゃんと書けていない。1行目は第1ボタンで、こいつをちゃんと書けないといつまでたってもシャツをちゃんと着ることができないのである。

なかなか発語することができない。1行目を書き出すことができない。それは、実は作家にとって、素晴らしいことなのではないだろうか。

恋する中学生のように、何か精神的に豊かで深い事柄を書こうとするからこそ、1行目が書けないのである。なかなか新しい小説を書き出すことができない自分を責めてはいけない。あなたはサボっているわけではない。才能がないわけでもない。豊かな世界を描こうとする愛に満ち溢れているからこそ、書き出せないのだ。

まず、「発語」という概念があり、「発語の不可能性」という現実があるのだということを理解することが大切だ。

その上で書き始めるにはどうしたらいいのか——ということを一緒に考えていきましょう。

物語には始まりと終わりがある

物語の構造を分析する研究をナラトロジーという。物語論のことだ。ナレーターというお馴染みの言葉は「物語を語る人」という意味で、同じ語源だ。

ナラトロジーを研究した本はたくさん出版されていて、僕ももちろん全部を読んだわけではないけれど、その概要は後の本編の中で「私を理解する上で役に立つ物語論」「小説を書く上で参考になる物語論」という視点で絞って解説する。

ナラトロジー自体は、ウラジーミル・プロップという20世紀のソビエト連邦の昔話研究家が創始者なのだが、プロップの分厚い本を読むだけで大変で、皆さんはそんな専門書を読む暇なんてないだろうしその必要もない。

プロップ以外にも多くの人達による多くの本が出版されているように、ナラトロジーは複雑な構造を持っているのだが、最初に知っておいてほしい物語の構造の基本は「始まりと終わりがある」ということだ。どんな物語にも終わりがある。単純なようで、ここに重要な秘密がある。

ところで、物語の「物」とはどういう意味か知ってますか？　「物」とは、魂や霊のことだ。物の怪、物のあはれ、物寂しい、物音。全部そうだ。すなわち物語とは、異世界に耳を澄ますということであり、死者の国と交信するという意味だ。

言葉が発達したから物語ができたわけではなく、物語を作るために言語が発達した。そもそも言葉は音声が最初で、文字というものができる前から物語は存在したのだ。それだけ人間は太古の昔から異世界、死者の国、あるいは死というものに囚われていたということだ。人間が死ななければ、物語も小説も「自分探しの旅」も必要がない。

つまり、終わりがなければ物語は成立しないし、必要ともされないということだ。

繰り返すが、いちばんシンプルで簡単な物語論とは、物語には始まりと終わりがあるということなのだ。

もう1つ重要なのは、小説というのはとりもなおさず「私」を記述する表現だということだ。純文学だけではなく、エンターテインメント、推理小説や時代小説やライトノベルやファンタジーも同じである。たとえば私小説とは対極にあるように思える、自分とは全く関係がなさそうに思える主人公を設定した小説の場合を考えてみよう。

イギリスの作家J・K・ローリングのあまりにも有名な『ハリー・ポッター』の主人公は少年だ。つまり男であり子供だ。作者の方は大人の女性だ。ローリングにとって小説の主人公は「私」たり得るだろうか？

答えは、「すべての登場人物がローリングの分身だ」ということになる。

ハリー・ポッターばかりではなく、ロン・ウィーズリー、ハーマイオニーから悪の化身のようなヴォルデモートまでがローリングの分身なのだ。

誰かが誰かの伝記を書く場合だって、モデルになった人物はモデルその人でありながら、主人公は伝記作者の分身なのだ。

なぜか？

それは、小説には描写が必要だからだ。

批評や論文には描写なんて必要ない。しかし、描写のない小説はただのあらすじにすぎない。子供の頃転んで膝をすりむいた時の感じ、夜の森の気配、海の匂い。悲しかったこと、腹が立ったこと、ちょっとばかり嬉しかったこと。誰かと出会った喜び、別れなければならなかった切なさ。そうした多くの感覚が僕らの記憶に眠っており、描写とはそんな無意識領域が作者にくれる手紙のようなものだ。手紙を読み、作者は主人公が体験することを描いていく。

書き手が大人の女性で主人公が少年であろうと、作者は無意識領域に眠る記憶をフルに呼び起こしながら描写していく。すると結果的に、登場人物のすべてが作者の分身になっていくのだ。そうならない小説は駄作だということになる。

本編で詳しく説明するが、小説とは工学的構築物であるという側面を持っている。つまり、緻密に設計され創造された建築物のようなものだという意味だ。明瞭な論理に支えられていると言ってもいい。たとえば殺人事件が起これば犯人の動機を論理的に説明しなければならない。

ところが描写は無意識領域との対話から紡ぎ出されるものなので、時々、工学的でなければならない小説に揺すぶりをかける。そこが、実は読む時にも書く時にも小説の一番面白いところなのだと僕は思う。

小説とは「私」を記述するものだと僕は書いた。

もう1つ、物語には始まりと終わりがあるとも言った。

この両方を実現しなければならないのが、難しいところなのだ。

なぜかと言うと、「私」はまだ終わっていないからだ。まだ終わっていない「私」について書きそれを終わらせなければならないから、小説は難しい。

では、どうすればいいのか?

それを解き明かすのが本書における僕の任務の1つなのだが、方法の1つは描写で終わらせるというパターンだ。

神話や旧約聖書のように過去の出来事を記述するのではなく、自分の身の回りに起こったささやかな事柄を素材に描くのが小説というものだ。時の流れのどこかに切れ目を入れて小説が始まり、紆余曲折があり、それらを読者が納得できる描写でしめる。

描写とは無意識領域からの手紙みたいなものなので、不気味な感じで終わる小説だってあるだろう。それでいいのだと、僕は思っている。

自分探しの旅を続けながら作家を目指すためにもっとも有効な方法は、ノートをつけることだ。メモ程度でも構わない。

言葉は相手に何かを伝えるという機能を持っている。

子供が学校であった出来事をお母さんに伝える。子供は言葉を使うことによって、学校であった出来事を物語化して母親に伝えているのだ。

体育の授業でドッジボールをしていたら突き指し、泣きそうになったら友達の涼夏ちゃんが保健室に連れて行ってくれ、校庭に戻ったら先生に「勝手にいなくなってはいけません」と叱られた。また泣きそうになった自分を涼夏ちゃんはかばってくれた。あの子はやっぱり大切な友達だ――というような出来事だ。

その時、子供は同時に自分自身にも「学校であった出来事」を物語化して伝えていることになる。

言葉で相手に何か説明する時、僕らはそれを自分自身にも説明しているのだ。日記のようなノートをつける時、人は自分に自分自身のことを説明している。それが「私」を物語化するということだ。そして物語はその属性として「終わり」を求める。言い方を変えれば、混沌とした現実を解析して意味を求めるということだ。

言葉を発すれば発するだけ、「私」の輪郭はクリアになっていくだろう。僕らはその時、「私」を少しばかり強固にすることに成功しているのかもしれない。

つまりそれが、自分を探すということだ。

わかっていただけただろうか？

言葉によって自分を物語化すること以外に自分を探す方法はないのだ。

ノートを書き続けることによって「私」を物語化できてきたら、そこで初めて小説を書いてみよう。

物語には始まりと終わりがある。そして「私」は小さな物語の集積でできているはずで、それを見分けることができた時、僕らは初めて小説を終わりにすることができる。

描写のスキルを上げることと自分自身の中にある小さな個別の物語を発見していくこと。それが、まだ生きている「私」についての小説を終わらせる方法なのだと僕は思っている。

本書では「私」を物語化するレッスンをやるわけだが、やがて物心ついてから今に至る、自分の地図が手に入るはずだ。それは小説家デビューのためのレッスンであるのと同時に、たとえば愛の問題やビジネスや子育てにも役に立つはずだ。

物語は大きく、小説は小さい

僕らは「物語」や「小説」という単語を、あまり深く考えずに使っている。2つのものを、研究者でもない限り明確に分けてはいないということだ。ちなみに日本語の「分ける」と「分かる」は同じ漢字を使うが語源も同じで、どうやら人間は分けないと理解することができないらしい。

仕方がない。最初に「物語」と「小説」を分けておこうか。ここは強引にいくしかないだろう。

物語という言葉は非常に広い範囲に適用されていて、幼児が体験した出来事を母親に報告するのも、昔からの伝承の一部始終を語るのも、あるいはそれこそ古代オリエントの『ギルガメシュ叙事詩』もインドの『マハーバーラタ』も、西洋文学のスタートに位置すると言われるホメロスの『イーリアス』と『オデュッセイア』も、日本の『伊勢物語』や『源氏物語』も物語だ。

ギリシア神話もケルトの神話も聖書も、『桃太郎』もみんな物語なのだ。

特定の事柄の一部始終を「意味」という糸で縫って誰かに語るもの。それが物語である。

皆さんが書く「小説」も「物語」に含まれる。小説は近代以降に発明された物語の1つのカテゴリーである。

僕らは幼児の頃から誰かに語り続けることにより、漠然とした出来事に意味を与え、物語化することで自分を理解してきた。ここまではいいだろうか？

では物語の1つのカテゴリーである「小説」とは何か？

それは、特定の事柄の一部始終の「意味」を縫うことを神様任せにせずに、「自意識」で貫く作品だということだ。おっと、そこで引かないように。「自意識」というと難解な哲学みたいだが、これは本編でちゃんとわかりやすく説明するので警戒しないでください。

僕は8年間東北芸術工科大学の文芸学科で教員を務めたが、学生が持ってきた作品を読み、よくこう言ったものだ。

「これはまだ単なるお話であって小説になってないよ。はい、書き直し」

少し詳しく説明すると、エピソードを並べるだけでは小説にならないということだ。

複数のエピソードを「自意識」の糸で繋ぐことでそれらは初めて小説になっていく。「自意識」というのが難解なら、「私」でもいい。それがまだ難しいというなら、深い悲しみや切なさ、反抗心や憎しみ、恐怖といった感情や感覚でもいい。

小説を仕上げて新人賞に応募したが予選で通らなかったとか、友達に読ませたが不評だったとか、そんな時によく言われる感想に、

「話の筋は通っているけど何が書きたいのかよくわからない」というのがある。

あなたにも、そんな経験がないだろうか?

僕は23歳でデビューしたので担当編集者はみんな年上で、何が書きたいのかよくわからないと頻繁に言われ、その度にしおらしい顔で反省したフリをしながら、内心では、

「おまえにわからないだけだよ。時代は変わったんだよ」と思っていた。

もちろん、今は本気で反省している。

何が書きたいのかわからないという感想を平たく翻訳すれば、

「悲しみ(切なさ、反抗心、憎しみ、恐怖)の彫りが浅い」ということなのだ。

あの頃、年上の編集者の誰かがそう教えてくれれば、僕はあれほどまでに反抗心を剥き出しにしないで済んだのになと思う。

わかりやすい具体例をあげよう。

昔話の『桃太郎』の主人公が、鬼が島に鬼退治に向かう。きび団子をもらった犬と猿と雉が家来である。さて、いよいよ船に乗り込み、決戦の地に向かう。昔話(物語)ならこれでOKだが、これを小説にする場合、このままでは読者は納得してくれないだろう。桃太郎が鬼が島に向かう「動機」が説明されて

いないからだ。

犬を主人公にした場合、きび団子ごときの報酬に命をかけるのかよ、どんなブラック企業だよ——という話になるだろう。

動機、自意識、「私」、村が鬼に襲撃され続けていることへの激しい憎しみといったものがあってこそ、桃太郎は小説の主人公になり得るのだ。

おわかりいただけただろうか？

物語というものはとても大らかな存在だが、小説というものは物語というカテゴリーに所属しながらピンポイント的に小さな文学形式なのである。

僕らが「私」を物語化する時にも、事情は全く同じだ。

最初は幼児がお母さんに1日の出来事を報告するように語ればいい。しかし思春期になり恋愛し、ライバルが現れ、恋に破れ——というような展開になっていった場合、それを物語化するには小説の方法論を適用するしかない。悲しみ（切なさ、反抗心、憎しみ、恐怖）の彫りを深くしていくしかないのだ。

このことについてはかつて出版した『イージー・ゴーイング』というエッセイ集に、「悲しみ上手になることが大切だよ」という意味のことを書いたことがある。興味がある方はどうぞお読みください。

ところで僕はロックファンである。唐突なようだが、ジョン・レノンとミック・ジャガーを素材に大切なことを書く。

僕が出版社に「ジョン・レノンかミック・ジャガーをモデルに長編小説を書いてほしい」と依頼されたとする。どちらが簡単だと思いますか。迷うことなく、ジョンのほうが簡単なのだ。なぜか。ジョンは既に逝ってしまった人で、ミックはまだ生きているからだ。

物語とは、茫漠とした現実のエピソードを意味で繋いでいくものだが、これを「因果」と言う。

リヴァプールという、荒くれ者の船乗りと彼らがのこした私生児が多い社会の最底辺の場所で生まれ、悲惨な幼少期を過ごし、同じような環境で育ったポール・マッカートニーと出会ってやがてビートルズを結成する。世界的なスターになったジョンが歌ったのは「愛と平和」だった。

これがジョンの物語だ。

経済的にも両親からの愛情という意味でもわりと恵まれた少年時代をダートフォードで過ごしたミックは大学時代にキースと再会し、ローリング・ストーンズを結成してビートルズにつづいた。彼が歌ったのは「血と暴力とセックスとドラッグ」で、ミックはその頃、悪魔の申し子だと言われて叩かれまくった。

あれ？

なんで？

反対みたいではないか。

ここに表現のパラドックスがある。

パラドックスというのは逆説という意味で「それって反対じゃん」というような意味だ。もっとも卑しい者がもっとも高貴だというような構造がパラドックスである。諺《ことわざ》の「急がば回れ」「負けるが勝ち」もそうだ。

イギリスという階級社会の最底辺から出てきたジョンやポールが「血と暴力とセックスとドラッグ」を歌うのでは、シャレにならないというか、彼らは最底辺だったからこそ希望を歌ったわけだ。

そして重要なことは、ジョンは既に亡くなってしまったので、彼の生涯を意味という糸で縫っていき小説化することは可能だということだ。「愛と平和」という希望を信じたジョンはボディガードをつけることもなくニューヨークのスタジオからダコタハウスへ帰り、そこで熱狂的なファンに射殺され、近くにいたFBIは止めようと思えば止められたのにジョンを見殺しにした。

FBIにとっては「血と暴力とセックスとドラッグ」よりも「愛と平和」のほうが脅威だったのである――というようなストーリーを構築することができる。

だがミック・ジャガーがモデルだとこうはいかない。なぜなら彼は今もツアーをやっていて――つまり生きていて、終わってはいないからだ。ミックの足跡を意味の糸で繋いで小説を書いても、明日、現実の彼が楽々とそれを裏切るに決まっている。

僕も皆さんも、まだ生きている。今日好きだったものが明日は嫌いになっているかもしれない。もっとも愛している人を、明日は避けるようになっているかもしれない。

あるいは、自分としては今でも世界でいちばん愛しい人に避けられるようになっているかもしれない。

え、なんで?

理由がわからないんだけど?

これは「エピソードとしては理解できるが魂の深い部分では納得できない」という意味であり、「物語的にはわかるが小説的には理解できない」ということだ。

しかし、生きていくとは、そういうことだ。

それをビビッドに記述するのが小説なのであり、そこに小説というピンポイント的に小さな文学形式の困難さがあるのだ。

物語は大きく、小説は小さい。しかし小さいからこそ小説は無限の可能性を秘めている。「魂の深い部分では納得できない」という気持ちを描くのが小説なのだ。ドストエフスキーもスタインベックも、谷崎潤一郎も太宰治も、そうやって小説を書いたのだ。

僕らは自分の内側に棲んでいる桃太郎に、言わなければならない。

桃太郎よ、立ち上がれ!

怒りを持って戦い抜け!

それこそがすなわち小説を書くということなのであり、「私」を高度なレベルで物語化するということなのである。

恋愛を描くのに有効な小説という装置

恋愛について考えてみたいと思う。

世にある小説のほとんどは恋愛小説か犯罪小説である。

なぜか？

人間というもののいわば精神上のピークが、恋愛と犯罪にあらわれるからだ。僕の文学の師は亡くなった批評家の秋山駿氏だが、彼は『恋愛の発見』の中でこう書いている。


ある人が、突然不意に、俺にはお前が必要だと言って、見えない手を伸ばして相手と握手しようとする。それが恋愛です。こちらは、ある時不意に、非常に自分勝手に、俺にはあいつが必要だと言って、見えない手を伸ばして相手の首を締める。これが理由なき殺人です。この二つは極度に似ているし、同じ一つの根から発しているように見える。

初めて激しい恋愛感情を抱いたり、理由なき殺人のような犯行を行うのは、不思議に十八か十九歳なんです。こういった純粋な心の衝動は、社会人や大人になってからではあまりおこらない。なぜか？——われわれが考えても訳が解らない。でもその行為だけは目の前にあって、燦然と輝いている。


そこにあるのは何か、と言えば、この十九歳という年齢に注目したい。それは、人が大人になって社会人になる、その一歩手前の年齢です。そのとき人は一種の、自分の「内的な死」を経験し、それに続けて「私」を発見する——こういう内的改変の劇を持つのではないか、と私は想像しています。

（秋山駿『恋愛の発見 現代文学の原像』小沢書店）

早稲田大学に通うまさに19歳の頃、僕は毎週文学部での講義を終えた秋山さんとビールを飲みながらこんな話を聞いていた。それが4年続き、作家になってからもしばしばお酒をご馳走になった。決定的な影響を、僕は我が師・秋山駿から受けた。

恋愛の話に戻る。

小説にとって、恋愛とはとても重要なモチーフだし、実際の生活においてもそうだろう。

あなたの恋人が、

「愛しているよ。君しかいないんだ」と言ったとしよう。

ほんとか？

嘘かもしれない。他に女がいるかもしれない。

恋愛でなくても、たとえばお母さんが、

「おまえのためを思って言ってるんだよ。あの男はよくない。結婚なんてとんでもない。別れなさい」と言ったとしよう。

それも、ほんとか？

娘が嫁に行くと自分が困るからそう言っているのかもしれない。若く美しく、今まさに女性として花開こうとしている娘に嫉妬してそう言っているのかもしれないではないか。

大切な人のどんな言葉も、嘘かもしれないと疑ったほうがいい場合があるということだ。

現実の生活では、僕らは「ほんとうのこと」を知ることができない。相手を信じていたのに――という苦い思いを、ほぼすべての人達が経験しているのではないだろうか。

だが三人称で書かれた小説では、すべての登場人物が「ほんとうのこと」を言う。そうでなければ小説は成立しない。ドストエフスキーの長編小説など、10人以上の登場人物の本音が語られるのだ。考えてみれば、これはすごいことだ。

映画や演劇やテレビドラマでもなんとか「ほんとうのこと」を表現しようとしているが、限界がある。たとえば恋愛の当事者である1組の恋人同士がどんな経緯でどんなことを考え、何を感じ、それぞれの未来を選択したかということを表現する上で、言語で記述された小説以上に有効なメディアはないのだ。

小説は工学的な構築物なので、たとえば「なぜ別れることにしたのか」という心情がちゃんと書かれていなければ成立しない。ある瞬間それを決意したのだとするならば、読者が納得できる的確な描写が必要だろう。

小説とはこの世界で唯一「ほんとうのこと」を知ることができる装置なのである。こいつは希有な、ほとんど唯一無二の仕組なのではないだろうか。

話がそれるが、失恋したと深刻な顔で大学の僕の研究室に相談しにやって来る男子学生には「アンドレ・ジッドの『狭き門』を読みなさい。愛していると言いながらなぜ彼女が去ったのかよくわかるよ」とアドバイスし、女子学生には「ヘルマン・ヘッセの『知と愛』を読みなさい。知を断念して愛欲と放浪の生活を送る男子の気持ちがわかるよ」と言って文庫本をプレゼントすることにしていた。

ジッドとヘッセ、何冊買ったかな?

もっとも、学生達がジッドやヘッセで納得できたかどうかは、じつのところ定かではない。彼らはもっと入り組んだ現代を生きているのだから。

たとえばきわめて現代的な共依存という概念がある。これは小説を書く上でも実生活を営む上でも重要な概念だと思うが、一言でいえば「他者に必要とされることに、自分の存在意義を見出す」という精神的な状態のことだ。

恋愛や母と娘の愛だと信じていた感情が、じつは共依存だったというケースは多いだろう。

共依存の概念は、1970年代の後半にアルコール依存症の臨床で発見された。アルコール依存の克服には、依存者同士のグループセラピーなどとともに「家族からの隔離」が不可欠であることがわかった。アルコール依存症をめぐる人々のなかに「依存者の世話をすることに依存している人」がいるということがわかったからだ。

こうした関係性を断ち切らなければアルコール依存は克服できない。

共依存は親密で特別な関係の上にしか成立しようがない。

もちろん、共依存はアルコール依存症だけの問題ではなく、男女の恋愛関係や家庭内暴力、引き籠もりの場合にもよく観察される。

ダメ男とばかりつき合う女の人とか、悪女としか思えない女にばかり惹かれる男の人とか、周囲にいませんか？　共依存かもしれないよなぁと思いながら、僕らは「蓼食う虫も好き好きだからな」と温かく見守るしかない場合が多い。

恋愛ってものは複雑で難しく、だから魅力的なのだろう。こういう関係をちゃんと描ければ、魅力的な小説を仕上げることができるだろうと思う。

小説を読むように、あるいは小説を書くように、自分の恋愛を物語化してみること。ナラトロジーを学ぶと、自分自身の恋愛の秘密がどこにあるのかを知ることができる。それを知れば、きっと2人の関係をさらに強い絆で結べるはずだと僕は思っている。

ところで、若い人にはわかりづらいかもしれないが、出会いはかならずしも未来に起こるとは限らない。丁寧に生きている人ほど、過去に向かってひらいている扉を見つけるのが上手だ。

ここに長い年月にわたり愛し合った男女がいるとしよう。

だが別れることになり、今夜は最後の食事をするためにレストランに入った。もうさんざん喧嘩した後なので、しみじみと思い出話をすることになる。

「あの映画、忘れられないわね。あの結末、あなたも泣いてたよね？」

彼は、不思議そうな顔をする。

「えっ、そんな映画観たっけ？」

「渋谷で観たじゃないの。レイトショーへいって、帰りにハンバーガー食べたでしょ」

「ああ、そんなこともあったね……」

彼の記憶が呼び覚まされていく。その映画の結末をくっきりと思い出して、また涙ぐんだりするかもしれない。その時彼は、きっとこんなふうに考えている。

「こいつと別れるということは、こいつの記憶のなかの俺自身とも別れるということなんだな」

人は、もちろん肉体を持った生き物として物理的に生きている。

だが同時に、人生は瞬間の積み重ねとその連続なのであり、いわば記憶そのものが僕らの物語であるとも言える。

自分でも忘れていた過去のあなたが、誰かの記憶に鮮やかに刻み込まれているということがある。

そういう人達こそが、あなたにとってかけがえのない人達なのだ。

しかも人は、何重もの意味を同時に生きている。

あなたにとって、家族や友人や仕事仲間を合わせて10人の大切な人達がいるとすれば、10通りのあなたが存在するということになる。

そのすべてが、かけがえのないあなた自身なのである。

家族や友人や仕事仲間を大切にするということは、彼らの記憶に刻み込まれたあなた自身を大切にするということでもあるわけだ。

思い出。記憶。過去。

それはいま現在を幸福に生きるために、欠くことのできない大切なものだ。だからこそ僕らは、ゆっくり、丁寧に生きていく必要があるのだと思う。

そして、一人称でしか恋愛できない僕らが何とか「ほんとうのこと」を知りたいと願う時、三人称で書かれた小説の方法論を身につけるのが最も有効な方法なのだと僕は思う。

渋谷のレイトショーで観た映画の話のつづきである。

そうか、と彼は考える。こいつと別れるということは、こいつの記憶のなかの俺自身とも別れるということだな、と。そして彼女にとっては、俺の記憶のなかの彼女自身を失うということなのだ、と。

そんな勇気が2人にあるだろうか?

「別れるの、よそうか?」

彼はそう切り出すかもしれない。

小説はいつだって過去についてのさまざまな出来事が記述されている。近未来を舞台にしたSFだって、その時点での過去が綴られているのだ。

恋愛にしても同じかもしれない。未来にあらわれる恋愛ではなく、今の恋愛でもなく、過ぎ去ってしまって今はもうここにない恋愛のほうが尊いのかもしれない。

一人称で立ち向かうしかない恋愛と三人称が可能な小説は構造すなわち方法論こそ真逆だが、そいつが抱える本質は近似している。

小説と恋愛とは——と今あらためて僕は思う——驚くほど似ているではないか!

妖精と2人で書く

小説の構造についての話は本編から始めるとして、妖精と2人で書くというテーマで僕の作家生活の一端を紹介したいと思う。

23歳でデビューしたので、もう40年以上小説家として生きてきたことになる。その間、思い切ってバットを振ったらたまたまボールが芯に当たり、10万部を超えるベストセラーになったこともあれば、2年間コツコツと書いた長編小説が5千部の初版で残部が出たこともある。

批評家や読者の方々に「傑作だ！」と誉められることもあるし、「なにこれ、駄作だ」と酷評されたこともある。

その度に一喜一憂していたのでは、小説家は身が持たない。

そこでいつの頃からか、僕は妖精と2人で書くという習慣を身につけたのである。部屋の片隅に妖精がいるのだ。彼あるいは彼女と相談しながら小説を書く。考え事も対話形式でやる。

小説が成功しても「俺って天才だな」とは思わない。部屋の片隅の妖精にお礼を言う。

「おまえが頑張ってくれたお陰でうまくいったよ。ありがとう」

残部の山を築いた長編小説を批評家達にさんざんコキ下ろされたら、妖精に苦情を言う。

「おまえが頑張らなかったからこんなことになっちまって、次はちゃんとやってくれよ。頼むぜ！」

小説だけではなく、人生のポイントで決断しなければならない時などにも、自分で判断を下さない。

「山形にある大学で教授をやれって話が来てるんだけど、どう思う？　俺はこれからバンドのリハなんで、帰るまでに考えておいてね」

僕はどうも悩みのない男に見えるらしく、実際のところ他の人に較べれば深刻な悩みはないほうだと思うが、それでも長い人生を過ごす間には、自分ではどうにもならないような問題を抱えることだってあった。

そんな時にも、妖精に頼む。

「自分が悪いんだってことはわかってるよ。でもどうしようもなかったんだ。どうすればいいか考えておいてくれよ」

これは仏教で言う「他力」に近いのかもしれない。ちなみに「他力」とは他人任せにする無責任な態度なのではない。自分で限界まで頑張り、もうどうにもならない時、「もはやどうにもなりません。阿弥陀仏さま、なんとかしてください」と祈る。それが「南無阿弥陀仏」である。

妖精と共に考え、共に書くという習慣を最初に身につけたのは10代の頃だ。カフェバーみたいな店によく飲みに行ったのだが、ある時に気がついたのだ。自分の中にはジョン・レノンによく似た男とミック・ジャガーによく似た男が棲んでいるってことに。

たとえばそのカフェバーにとても美しい女性が1人でいたとする。するとミック・ジャガーみたいな男は、

「おっ、いい女じゃないか。隣に行って一緒に飲みませんかって誘ってみようぜ」と言う。

するとジョン・レノンみたいな男が反論する。

「彼女だっていろいろなことを背負ってるにちがいないよ。深く関わって、彼女の問題まで一緒になって背負って、ああだこうだってことになって、お互いに傷つくだけだから、やめておけ。あの若さと美しさにここで密かに乾杯すればいいんだよ」

そういう卑近な問題から、デモに行くべきかどうかとか、哲学上の問題まで、2人は時には激しく、時にはじっくりと意見を戦わせるのだ。僕はそれを、ビールでも飲みながら黙って聞いていればいいというわけだ。

今は、宮沢賢治の『銀河鉄道の夜』に登場する孤独な少年ジョバンニが都内の仕事部屋にいる。

山形から東京に向かう新幹線が米沢を過ぎ、僕は宮沢賢治の『銀河鉄道の夜』について考えていた。孤独な少年ジョバンニが、友人カムパネルラと銀河鉄道の旅をする童話だが、これはもちろん死の国へ向かう鉄道ということだろう。

作中にクルミの化石を拾うエピソードがあるが、東北芸術工科大学の宿舎の近くの川辺にもクルミがあって秋には実が落ちる。クルミの実を見る度にこの童話を思い出す。

天上と言われるサウザンクロス（南十字）で、大半の乗客たちは降りてしまうが、ジョバンニとカムパネルラは残される。2人は「みんなのほんとうのさいわい」のために共に歩もうと誓うのだが、車窓に現れた石炭袋を見て恐怖に襲われる。

ジョバンニはカムパネルラをはげますのだが、カムパネルラは「あすこにいるのぼくのお母さんだよ」

と言い、いつの間にかいなくなってしまうのだ。

1人丘の上で目覚めたジョバンニは町へ向かうが、「こどもが水へ落ちた」ことを知らされる。川に落ちたザネリを救ったカムパネルラが溺れて行方不明になったのだった。

僕らは普通ジョバンニの視点でこの作品を読むだろう。行方不明のカムパネルラ、失われたカムパネルラ、死の国へ旅立ってしまったカムパネルラを探し求める。だが、ふと気がつくと自分の方がカムパネルラなのかもしれない、と僕は思ったのだった。

誰か大切な人にとって、自分の方が行方不明になってしまっているのかもしれない。銀河鉄道の車窓を見ているその大切なジョバンニの背中を探し出し、繫ぎ止めなければならないのではないだろうか。

ジョバンニが僕の部屋に棲みつくようになったのはそれからのことだ。

妖精と2人で書く。

妖精と一緒に「私」について考える。

それは実は内面的な対話をしているということで、その時誰もが家族や恋人や友達から切り離されて1人でいるはずだ。

自分を見つめるなんて大層なことは、なかなかできるものではない。

そんな時だ。部屋の片隅にいるはずの小さな誰かが、僕らを支えてくれるのは。「私」を物語化するのはなかなかのハードロードである。だがそんな小さな存在を発見できれば、僕らは確かな足取りで遠くまで歩いて行くことができる。

司馬遼太郎なら「以下、無用のことながら」と前置きして続けるところだろう。無用が案外大切で、司馬氏の小説にこれが出てくるとたいがいの読者は「お、来た来た」と正座する。

僕の場合は本当に無用のことかもしれないが、付け足しておく。

先の箇所までを何人かのスタッフに読んでもらったら、大学院まで漢詩を専攻した若い男子からこんな感想が届いた。

全くオリジナルな内容で、面白かったです。この話、作家の体験談として読みつつも、作家志望の読者は必ず「自分にも妖精と2人で書くことができるのだろうか」と考えるだろうから、そこにはっきり言及したほうがいいと思いました。特別な資質を持った人にしかできないことなのか、訓練をすれば誰でもある程度はできるようになるのか、ということについての山川健一の考えを聞きたい人が多いのではないかと思います。

僕の解答を書いておく。

「もちろん誰でも妖精と会話できるし、妖精と2人で書くことができる。訓練というよりも、ちょっとしたきっかけが大切なのだ」

小説を仕上げるのは長丁場で、しかもそれはダラダラした時間の連続ではなく、小説家になったり批評家になったり編集者になったり、最終的には読者になって推敲しなければならない動的な時間の連続なのだ。そんなの、少なくとも僕の場合は1人では無理なのだ。

架空の存在と交信するのは幼児の特権事項なのではない。「私」について考え続けたり小説を書き続けたりするのは孤独な作業で、その透明な孤独に慣れると、彼あるいは彼女の存在に誰もが気がつくのではないだろうか。座敷童みたいなものかね？

ほら、部屋の片隅を見てほしい。

優しい存在が感じられるでしょう？

「いや、無理」という方には、仕方がない。うちのジョバンニを、2、3日派遣しましょうか？

エンターテインメント小説を書こう

僕が学生達によく言っていたのは「純文学だけが小説ではないよ。恋愛小説や推理小説やファンタジー、時代小説、児童文学やライトノベルといったエンターテインメントを書いてごらんよ」ということだ。

ところが20歳前後だとまだ大恋愛はしたことはないし、犯人が逮捕された後のシーンを書こうにも警察組織のことがわからない。ファンタジーも同様で、膨大な知識が必要とされるわけで、そこに辿り着くには時間が必要だ。

時代小説も然り。

というわけで、純文学っぽいものか純文学に近い児童文学に挑戦する学生が多い。悪いことではないかもしれないが、カテゴリーを限定するとおのずと限界もある。

そもそも、日本語で書かれた小説を区分けする時に「純文学」の対立概念は「エンターテインメント」と表現するしかないと思うのだが、では谷崎潤一郎や川端康成や三島由紀夫、太宰治は純文学の作家だろうか？

いやいや、彼らはもれなくむちゃくちゃ面白いエンターテインメントも書いている。

むしろ海外の小説の方がわかりやすいかもしれない。

現代文学は、カミュとカフカの登場によって一変した。カミュの『異邦人』は、不条理の文学ということであまりにも有名になった。

記憶に頼って書くので不正確なのをお許しいただきたいが、アルジェリアで暮らすムルソーは、母が養老院で死んだという電報を受け取るが、葬式へ行っても悲しみを見せず、翌日には偶然出会った旧知の女と情事にふける。

その後トラブルに巻き込まれ、アラブ人を射殺してしまい逮捕される。

裁判では、母親が死んだのに悲しむ様子も見せない冷酷な人間だと糾弾され、殺人の動機をこう述べる。

「太陽が眩しかったから」

今では、この台詞はあまりにも有名だ。

死刑を宣告されたムルソーは神に祈りなさいと迫る司祭を監獄から追い出し、人々に罵声を浴びせられながら死んでいくことを人生最後の希望にするのだった。

太陽が眩しかったから殺した？　えーっ、そんなの動機にならないじゃん――でも、無茶苦茶カッコいいよな、と僕は思ったのだった。

カフカの『変身』はある朝目を覚ますとザムザは毒虫になっていたという設定で、最後までその理由は明かされない。

プラハのユダヤ人の家庭に生まれたカフカの小説でしばしば描かれる正体不明の恐怖は、ナチスドイツへの怖れのメタファーだと僕は思っている。未完に終わった『城』こそはナチスそのものではないか。

カフカの妹は、ナチス・ドイツによってオーストリアが併合された際、アウシュビッツに連行されここで殺害された。複数の恋人達も同じ運命を辿っている。

だが、そういうことを言うと「そんな風に腑に落ちるとカフカはつまらなくなる」と、一蹴されてしまう。

批評家のロラン・バルトが『零度のエクリチュール』というデビュー作でカミュ達を絶賛し、やがて構造主義、ポスト構造主義という思想の流れの中にカミュやカフカは位置づけられポストモダン文学と呼ばれるようになっていく。

そんなカミュやカフカに続くポストモダンの作家達が「純文学」なのではないかなぁと僕は思っている。

話がややこしくなった。

でも、ここは勢いでもう一言。

ポストモダンの作家達はこんなふうに考えているのではないだろうか。

「喜びも悲しみも怒りも不安も、およそ人間の感情というものは過去の作家が書き尽くしてしまい、僕らがそれを書こうとすると模倣になってしまう。感動すべき新しい現実なんてもはやないし、もっともらしい動機を考え出すことに意味があるとも思えない。今やれることがあるとすれば、それは方法の革新なんだよね」

革新的な小説の方法に胸をときめかせる読者もいるだろう。だが、僕は「へぇ」と思うだけだ。新しい方法論は次の新しい方法論によって乗り超えられていくだけで、そんなものを追いかけていると飽きちゃうよな、と思う。

それでも「もっともらしい動機を考え出すことに意味があるとも思えない」というのは一時期の僕の実感でもあって、実際に女性誌とかに恋愛小説を立て続けに書いているうちに飽きてしまった。可愛い女の子じゃなくて、アシカと恋愛したっていいじゃん、と僕はある時に思ってしまったのだ。

その頃の作品にはクロアシカが頻繁に登場した。バーに入るとバーテンダーがクロアシカだったり、クロアシカと恋愛したりするという荒唐無稽な設定で、読者の方々にはすこぶる評判がよろしくなかった。まあ、僕なりのポストモダンだったわけだ。ブタのブーミンと恋愛する高校生の話「ア・ボーイ」とか。

クロアシカとかブーミンが出て来ない小説を書いてくださいという手紙がたくさん来た。

それに比べてジョバンニは人気者なのだが、どうしてだろう？

もう少しわかりやすく書こう。

それまで誰も見たことがない新しい方法には衝撃がある。退屈な日常生活がガツンと「異化」され、心がリフレッシュされる。そういう効果がある。それがいわゆる「純文学」や、絵画の世界ならファインアートの役割なのだ。

では、エンターテインメントは？

作家達が職人のような手つきで喜びや悲しみや怒り、不安といった人間の感情を織り込んでいくのだ。そうやって、1枚の布が完成する。この布には、人間を癒す力がある。

それがエンターテインメント小説というものだ。

エンターテインメント小説はいつでも貪欲に、「純文学」が切り拓いた最新の方法論を吸収していくのだ。

大学の研究室で医学の新しい可能性を研究する医者もいるし、町医者もいる。そういう関係に似ているかもしれない。

僕ですか？　もちろんロックな町医者でありたいと思っているわけです。ただし、最新の医療技術は理解しておかないとなと自分に言い聞かせている。

純文学には現実に揺すぶりをかけるエネルギーがあり、ミステリーや児童文学、時代小説を含めたエンターテインメント小説には人を癒す力があるということだ。

そして大事なことは、優れたエンターテインメント小説にも、そのコアに「私」というものが存在していることだ。凶悪な殺人犯が登場するとして、その殺人犯は作家が胸の奥に秘めている「私」に他ならない。そういう具合に書かれていない小説は、エンターテインメント小説として三流だということだ。

我田引水的な言い方になるが、エンターテインメント小説にこそ、「私」の物語化が不可欠だということだ。

ではどうしたらいいだろう？

まず、好きなスタイルで書いてみることが大切だろう。

多くの人達が書く習作は明確なカテゴリーに収まっていないことが多い。純文学的な恋愛小説で、前半は児童文学風であり、しかし結末近くに殺人のシーンもある――という具合である。それでいい。チャンコ鍋みたいに、書きたいことを何でもぶち込んでみる。

しかし第1稿ができあがったら、目の前にある自分の小説が既存のどのカテゴリーに近いかを考えてみる。純文学の領域なのか、エンターテインメント小説なのか？

それを判断する時に、カテゴリーは多い方がいいに決まっているではないか。そして、カテゴリーを見極めることができたら、そのカテゴリーに少し歩み寄る努力をする。右手を差し出して握手を求める。カテゴリーごとの文法、方法論というものがおのずとあるのでそいつを身につける。そうでないと、新人賞を突破することが難しい。

それがデビューへの最短コースだ。

最後に自分自身のことを書いておく。

僕がデビューしたのは『群像』という講談社が発行している純文学の雑誌で、したがって僕は純文学の作家としてシーンに迎えられた。

だがすぐに窮屈になり、いろいろなタイプの小説を書きたくなった。

いろいろ書いていたら、インタビュー等で「この作品は純文学作品ですか?」というようなことを聞かれるようになった。

「いや、僕は書きたいものを書いているだけで、それは読者の皆さんが判断されることだと思います」

そんなふうにトボけた。

実は巧妙に方法論を使い分け、自分の小説のカテゴリーを広げていこうとしていた時期だった。

現実に揺すぶりをかけるような小説を書くべく努力し、その方法論（文体や構造）をエンターテインメント小説にフィードバックした。

やがて、最初に誰に言われたのかよく覚えていないのだが「ロック小説の旗手」だと評された。『ロックス』の頃だったろうか。

ロック小説? そんなものあるのかよ? えーっ、俺の小説のこと?

考えてみれば、ロック小説なんてものはそれまでに存在しなかったし、ふと気がついて周囲を見回しても、そんな怪しげなものを書いている同業者は皆無だった。

ロック小説というカテゴリーは、結果的に僕にとっては非常に有効な隠れ蓑になった。「ロック小説の旗手」と言われるようになってからは、誰も「純文学ですか？　エンターテインメントですか？」とは聞かなくなった。

だって、ロックな町医者が書くロック小説なのだから。

バンドンマンが1人も登場しなくても、ロックの楽曲が全く出て来なくても、ロック小説なのだ。お爺さんとお婆さんがお茶を呑んでいるだけでもロック小説。

ロックと言えばすべてが許されるとはさすがの僕も思っていないが、これは僕としては最高のブランディングだったのではないかと今では思う。少なくとも、余計なことに気を使わずに仕事ができるようになった。思う存分エンターテインメント小説にも挑戦してみたいものだ。

いつかロックな児童文学、ブルースみたいな時代小説を書いてみたいものである。

2章 物語論（ナラトロジー）で「私」という物語を探る

ジェノバの夜

いよいよ本編である。

ここからはなるべく体系的に、本質的に、しかしいつも通り脱線しながらやっていこうと思う。

最初に、いちばん大切なことを書く。

それは、すべての物語は「欠落」「欠如」があるからこそ始まるということだ。あるいは「禁止」でもいい。これは物語論（ナラトロジー）の基本で、ウラジミール・プロップやジョーゼフ・キャンベルをはじめ、多くの研究者が指摘していることだ。

たとえば太宰治の『メリイクリスマス』の欠落とは「敗戦直後」ということだ。金銭的に困窮し、仕事や物資が乏しく、未来が不確かだった。そんなとても明快な欠落を、あの主人公は抱えていた。

さて、この後解説するので、『メリイクリスマス』を読んでください。できればその概要を400字詰め原稿用紙2枚以内にまとめておくこと。

概要というのは、感想文ではない。したがって「面白かった」とか「感動した」などと書いてはいけない。よく文庫の裏表紙についているストーリー紹介に近い。ただし、作品の結末部分までをカバーすること。

いわば、対象作品の構造図を作るということだ。

普段読書する時にも、「概要」を読み取るレッスンをしていくと、読んだ小説、鑑賞した映画の数だけ構造図がストックされることになり、自分が新しい作品を作る時に貴重な資料になるはずである。『メリイクリスマス』の構造については、第3編で解説します。

実作者としての僕は、じつは物語論を意識して書いてきたわけではないが、物語の構造を知っていけばいくほどその通りだなと思うのだ。

そして、皆さんが今から書こうとしている主人公が抱える欠落とは、作家自身（あなた自身）の欠落そのものなのだということを忘れないでほしい。

僕ら全員が餓えている。ジグソーパズルのピースがいくつか足りない。

その足りないピースを探し出すために、僕らは小説を書くという長い旅を繰り返すのである。

足りないピースとは何か？

それが実感としてわかった時に初めて、人は発語することができる。

発語というのは文字通り言葉を発するという意味で、小説の1行目を書き記すということだ。

ロックヴォーカリストが「イエーッ！」とシャウトする。その声にはまだメロディも歌詞もついていない。だがヴォーカリストにとっていちばん大事なのは、「イエーッ！」という叫び声ではないのか。なぜならこの短い「イエーッ！」には、彼の呼吸法や声帯の使い方、声によっていかに感情を表現するのかという回路がすでに備わっているからだ。

小説も同じだ。まず、発語しなければない。真っ白なテキストエディタ画面の荒野に、歩み出さなければならないのだ。

本書の大きな特徴は、多くの大学やカルチャーセンター等の小説講座が発語以降の指導に終始しているのに比べ、どう発語するのかということをカヴァーしている点だろうと思う。

8年間の大学における小説指導で、それがいかに重要なことなのかを痛感したので、本書でもこのスタイルを継承しようと思ったのだ。

つまり、小説の方法論（HOW）を伝えるだけではなく、あなたは何を（WHAT）、なぜ書くのか（WHY）を一緒に考えていこうということだ。

そのことを伝えるために、「ジェノバの夜」という文学的な事件について書く。

ポール・ヴァレリーという人がいる。フランスの詩人、小説家、評論家でもあった。フランス第三共和政を代表する知性と称された作家だ。このヴァレリーに「ジェノバの夜」というエピソードがあるのだ。

年上の女性であるロヴィラ夫人への恋に破れ、自らの詩人としての才能を疑い、文学そのものを嫌悪した21歳のヴァレリーは自殺しようかと悩む。

母親のファニーがトリエステ生まれのイタリア人だったので、親戚の住むジェノバに滞在したヴァレリーは、記録的な嵐の夜に自ら命を断とうとし、その時に知的クーデタを体験したと言っている。自分で自分を組み替えるような、あるいは自分で新しい自分を生み出すような一夜を体験した。

そして「テスト氏」という分身を生み出すのだ。

この事件は文学史的に「ジェノバの夜」と呼ばれるようになった。

僕がヴァレリーを読んだのは秋山駿の影響である。そしてヴァレリーの「ジェノバの夜」は、秋山駿の言う「内的な死」、「私」の発見、「内的改変の劇」と同じものである。

その後ヴァレリーは「カイエ」という、公表を前提としない思索の記録をノートにつづるのである。それを年上の友人であるアンドレ・ジッドが見て感嘆し、出版社に原稿を持ち込んだことで最初の著書が出版され、ヴァレリーは一躍時の人になった。

もっとも、ジッドがヴァレリーを引き立てたのは単なる美談とも言えない。ヴァレリーを襲った危機の原因は、ひとつにはロヴィラ夫人への片思いであったが、もうひとつの原因はジッドとの「危うい友情」であったからだ。

2人はパリのホテルでよく会い、ヴァレリーはジッドが詩を朗読するのを聴いていた。ヴァレリーがこの歳上の作家に宛てた手紙はほとんど恋文であり、ジッドは同性愛者だった。ヴァレリーにとってこの時期の体験は、なかなかに入り組んだ、過酷なものであったろう。

ヴァレリーを読みながら、次第に僕は「ジェノバの夜」はじつは自分にも起こっていたのではないかと思うようになった。

いや、その生命の輝きのピークとも言うべき夜はすべての人を襲い、それを体験することで人間は大人になっていくのではないかと確信するようになった。

人間は2度生まれるのだ。最初は物理的に母親に産んでもらった時に。そして2度目の生誕は、多くの場合思春期に自分で新しい「私」を生み出す時に訪れる。

僕らは思春期にポール・ヴァレリーの言う「ジェノバの夜」のただなかで立ちすくみ傷ついた。知的クーデタを体験した。だからこそ「書く」という冒険の旅に出る決意をしたのではなかったろうか。ヴァレリーには「ジェノバの夜」という詩もある。

私はこの夜、ジェノバの海岸にいた。
私はこの夜、自分自身と向き合っていた。
私はこの夜、自分自身を見つめ直していた。
私はこの夜、自分自身を超越することを目指していた。

（ポール・ヴァレリー「ジェノバの夜」ChatGPT による翻訳）

僕らは等しく、過去に体験したに違いない「ジェノバの夜」に向かって成長していくのではないだろうか。僕の第1エッセイ集は『みんな十九歳だった』というタイトルなのだが、そんな気持ちを込めたつもりである。

「ジェノバの夜」を対象化し続け自分が書く小説のコアに措定することで、僕らは生きた小説を書くことができる。

皆さんに課題を出しておいた。自分にとって「ジェノバの夜」と呼べるような出来事、あるいはその期間を思い出し、それを明確にするレジュメを書いてください。

「ジェノバの夜」に、あなたの欠けたピースがあったはずなのだ。今の日常生活を忙しく送っていると忘れてしまいがちなあの日々、あるいはあの瞬間。そこに、あなたにとっての失われたピースはすでにあったはずだ。

愛されたかった。

抱きしめてほしかった。

金がなかった。

天涯孤独で極貧の子供時代をすごした。

「ジェノバの夜」には、あなたの「欠落」が隠されている。

「欠落」「欠如」、あるいは「禁止」について考えてみよう。

まず「欠落」、「欠如」について簡単な例をあげる。

ある村で真夏に雨が降らなかったので秋に予定通り収穫することができず餓死する者が出始めた。そういう村をファンタジーで書く時、この作品における「欠落」とは食料だ。

次に「禁止」。

両親が揃って出かける時に、1人のこしていく娘に「誰が来ても絶対に玄関のドアを開けてはいけません」と告げる。この場合「ドアを開けてはいけません」という言葉が「禁止」に相当する。

禁止は多くの場合破られる。

リンゴ売りの老婆がやって来てドアをノックし、言葉巧みにドアを開けさせ、しかし老婆は魔法使いで娘はさらわれる――という展開になれば物語をスタートできる。

さらわれた娘は、この物語における「欠落」になっていく。「禁止」が「欠落」を生んだわけだ。

ただ「欠落」や「禁止」がこういうとてもシンプルなものでは、エンターテインメントを含む現代小説では少し厳しいかもしれない。

その場合には、もう少し込み入った欠落や禁止事項を考え出さなければならない。考え出すと言っても、アイディアをひねり出そうとしてはダメです。ストーリー先行ではダメだという意味だ。

太宰治の『メリイクリスマス』はもう読了しましたか？　太宰治という作家の凄いところは、作品の構造が「私」から出ているということだ。

あの小説も「女が実は死んでいた」というアイディアが先にあったのではない。最初にあったのは彼自身の「感情」なのであり、次に「仕掛け（アイディア）」が考案され、その結果としてストーリーが構築されている。ストーリーはいちばん最後なのであり、「どんな筋にしようかな」と最初から悩んでもいい小説は書けない。

小説を書く順番は、いつもそうでなければならない。

× ダメな順番

「ストーリー」

↓

「仕掛け（アイディア）」

↓

「感情」

○ 正しい順番

「感情」

↓

「仕掛け（アイディア）」

↓

「ストーリー」

ここで僕が言う「感情」というのが、失われたピースのことなのだ。つまり欠落であり、禁止なのである。

自分にとって何が欠けており、何をすることを禁止されてきたのか。それを明らかにできれば、小説の

1行目を書くことができる。できれば、そのことによって自分はどんな感情を抱え込むことになったのかを思い出してください。

悲しみなのか、怒りなのか、恐怖なのか。この感情を小説を貫く基本トーンにできれば、その作品が破綻することはまずない。

物語論を扱う研究書でこの欠落と禁止に関する記述を読み、しかし実際に小説を書かなければならない身としては、正直なところ「そんなもの簡単に見つかるかよ。研究者が勝手なことを言ってんじゃねーよ」と思うこともしばしばだった。

そこで思いついたのが「ジェノバの夜」なのであり、「なぜ欠落が生じたのか?」「なぜピースは失われたのか?」という問いが生まれたのである。

問いへの解答を書いておく。

欲求と欲望があるから、それが禁止され欠落が生じ、ピースが失われたのである。

小説なんて書くつもりはないという人も、ここで僕が指摘した「欠落」「欠如」あるいは「禁止」とは何かということを考えてみてください。それこそが「私」の中心的な課題なのであり、考えているうちにふと気がつくと、あなたはちょっとだけ強くなっているはずだ。

3人の女子学生と夕食を共にした時に、1人が僕に聞いた。1年生なので19歳だ。

「先生、どうしたら上手に小説が書けるようになりますか?」

僕は答えた。

「まず、自分をいい女だと信じることだよ。容姿のことだけを言ってるんじゃないよ。私はとびきりいい女なんだと信じること。そしたら自然に小説はうまくなるよ」

彼女達はきょとんとしていた。

嘘ではない、本当のことだ。いい女（男）だと思えるためには、自分にとっての「ジェノバの夜」を明確に認識し、「私」を強靭化していくしかないのである。

欲求を欲望に昇華させる

すべての物語は欠落がなければ始まらない、そして欠落は、欲求あるいは欲望がないと存在しない――ということころまで書いた。

ちなみに、「欲求」と「欲望」は別のものだという論点で話を進めるが、その理由など詳しくは後で述べる。

僕は23歳でデビューしたので担当編集者はみんな歳上で、彼らは僕を教育してくれようとした。『群像』でも『海』でも『すばる』でも『文藝』でも言われたのが、「もっと自分を見つめてください」ということだ。

自分を見つめる？

どうやって？

一度、村上龍さんとこの話をしたことがある。

自然児である龍さんは、

「俺も言われた。しかしそんなもの見つめたって、つまんない男がいるだけだよな」

と言っていた。その通りだと僕は思い、龍さんもそうなんだと知り、ほっとしたのをよく覚えている。

いま考えれば、多くの若い作家が同じようなことを言われたのだろうと思う。そして、そのセリフは多くの迷いを生んだにちがいない。編集者が作家を潰す典型的なパターンである。

なぜ「自分を見つめろ」と言われると作家は書けなくなるのか？

それは自分を見つめろというオーダーがあまりにも漠然としていて、具体性に欠けるからだ。マップなしで「自分探しの旅」に出ても迷子になるだけだ。

ちなみに、いつかちゃんと「編集者批判序説」という批評を書くつもりだが（冗談です）、作家志望の皆さんには断言しておくが、あなたたちはプロになっても編集者を１００パーセントは信用してはいけない。

作家と編集者の望ましい関係は、戦い合うことができるパートナーシップが存在することが前提だ。

自分を見つめろとは、具体的に言えば自己の内部の「欠落」を明らかにせよということであり、どんな「禁止」がその「欠落」を生んだのか思い出せということだ、と今の僕は理解している。

そして、得体の知れない「視えない敵」が禁じたのは僕らの「欲求」なのだ。

では、まず欲求について考えてみよう。

アメリカの心理学者アブラハム・マズローが人間の欲求を5段階の階層で理論化した自己実現論というものがある。ビジネス書やカウンセリング、自己啓発でもよく使われるものだが、こいつは文学にも援用できる。

まずはこれを簡単に紹介します。

マズローは「人間は自己実現に向かって絶えず成長する」と仮定し、人間の欲求を5段階の階層で理論化した。なので、自己実現論以外にも欲求段階説、欲求5段階説などと呼ぶ人もいる。ネットで「マズローの自己実現論」というワードで検索すると、ピラミッド状の階層を表したイラストが見つかると思う。

人間の欲求のベースには、まず生理的な欲求がある。それらは、お腹が空いたとか、排泄したいとか、眠りたい、といった赤ん坊や動物でも持っている欲求だ。

次に来るのが安全を保障したいという欲求。屋根の下で眠りたいなどがこれに当たる。もう少し高度なものになると、定期的な収入が必要だとか、婚活している女性なら「年収500万以上の男性が希望」なんていうのも安全への欲求だ。

婚活している男女のこうした欲求を高望みだとか我が儘だとか揶揄する人がいるが、それは間違いだ。安全への欲求なのだから尊重されなければならないと僕は思う。

次に来るのが「社会的欲求／所属と愛の欲求」で、たとえば年収500万以上の男性と結婚できたとしても（安全の保障の欲求が満たされたとしても）、愛されていなければ、この欲求は満たされない。

さらに、経済的に余裕がありパートナーに愛されてさえすればいいかというと決してそうではなく、社会的に自分はどこかに所属していると思えなければ、この欲求は満たされないのだ。

そして次に来る「承認」欲求は誰かに自分を認めてもらいたいという欲求であり、最後におとずれる「自己実現の欲求」とは、「自分が本当にやりたいことをやって誰かに貢献できること」だと思う。

整理するために、並べてみよう。

①**自己実現の欲求**（Self-actualization）
②**承認の欲求**（Esteem）
③**社会的欲求／所属と愛の欲求**（Social needs / Love and belonging）
④**安全への欲求**（Safety needs）
⑤**生理的欲求**（Physiological needs）

マズローは、下から4つ目までの欲求を「欠乏欲求」（Deficiency-needs）であると定義し、自己実現の欲求を存在欲求（Being-needs）であるとした。

欠乏欲求と存在欲求とを質的に異なるものだと考えたわけだ。それはそうだろう。自己実現を果たした人はとても少ないわけだから。

そしてマズローは、こうも言っている。

「自己実現を達成した人は自己というものを超えていく」と。

つまり自己超越していくのだ。

さらに、仏陀とかイエス・キリストなどは自己を超えるだけではなく、人類全体のことを考えるようになる。これを、トランスパーソナルだと言っている。

マズローは晩年になると、明確に自己実現の欲求のさらに高次に「自己超越の欲求」があるとして、トランスパーソナル学会を設立した。

僕は個人的にはトランスパーソナル心理学などに興味があるのだが、マズローの学説には学問的には信憑性がないと批判されることが多いのもこの辺りだろうと思う。

マズローの自己実現論に沿い、自分というものを分析してみよう。具体的に自分へ質問してみる。

生理的な欲求は満たされたとして、では安全への欲求とは何か?

さっきも述べたように、結婚というのは安全への欲求の1つなので、婚活している人の条件を揶揄したりしてはいけないと念を押しておく。

だが、結婚以外でも安全への欲求は満たされる――と考える人がたくさんいることは指摘されるべきだ。

結婚することについて「必ずしも必要はない」と考える人の割合が7割近くに上り、この25年間で最も高くなったことがＮＨＫの調査でわかった、というニュースが配信されたばかりである。

ここまではビジネス本や自己啓発本とあまり変わりはない。だがわれわれは、次のステップに行かなけれならない。

次のステップとは、小説を書いていくためには、「突出」しなければならないということだ。どのような方法で突出すればいいのか？　自分にとっての「欲求」の構造を明らかにできたら、そいつを「欲望」に昇華するのだ。

欲求とは、それが満たされなければ人間が生きていけないもの、絶対に必要なものだ。とりわけ「欠乏欲求」はそうだ。

そんな欲求が満たされていないことを前提に物語を始めることは不可能ではない。食糧危機に陥った村を舞台にしたファンタジーなどだ。

だが、近代以降というか、現代小説の場合これだけではなかなか難しい。「欲求」を追い詰めて考え、こいつを「欲望」に昇華させ、「この欲望がどうしても満たされないことに起因する欠落」が準備できた時に、僕らは自分の小説をスタートすることが可能になる。

欲望とは何かということについては、次の項で学びたいと思うが、ヒントを出しておくので自分なりに考えてみてください。

欲求とは、それが満たされなければ人間が絶対に生きてはいけないものだ。だが欲望は、じつはそれが満たされなくて死ぬことはない。そいつはむしろ幻想領域、あるいは他者との関係性の中に存在するものだ。

そいつが、文学ってものにはどうしても必要なのだ。

欲望は幻想領域で呼吸するものだ

物語構造の最初の大きな特徴は、まず「欠落」がなければ始まることができないという点だった。これについては多くの研究者が指摘していることでもある。

そしてこれは実作者としての僕の勘なのだが、「欠落」とは求めているのに求められない場所に生じる。これを考える時に有効なのは、「欠落」を「欠落感」と置き換えることだ。いきなり「欠落」と言われてもなぁという人は、「欠落感」とか「欠乏感」だと考えてみてください。

そして「欠落感」は「禁止」によって生じ、「禁止」は「欲求」あるいは「欲望」が存在するからこそ、それを制止するために働く力なのである。

「欲求」あるいは「欲望」
　　↓
「禁止」
　　↓
「欠落」あるいは「欠落感」

――という順番になっているわけです。

したがって、「欲求」あるいは「欲望」がとても強い力で抑圧され、絶望的な「欠落」を抱えている人は、ナラトロジーが体内に埋め込まれているようなものなので、あえてそれを学ぶ必要なんてないのだ。

じつは、高校生の頃の僕はそういう少年だった。

時代と言うしかないのかもしれないが、1970年代前半、多くの少年や少女は「ナチュラルに生きていきたい」という簡単な欲求を押し潰されそうになり、そのうちの何人かは高校や両親、デモへ行けば機動隊員と激しくぶつかった。

僕も「そのうちの何人」かの1人であり、思い返せば理不尽な酷い目にあったと思うが、「私」という物語をスタートさせるための、十分な「欠落」があったということだろう。

そんなふうに感じていたのは別に高校生だけではなくて、たとえば越水利江子さんの『風のラヴソング』(講談社青い鳥文庫)の主人公は幼い女の子だが、彼女はどうにもならない「欠落」を抱えており、その友達も同様で、だからこそ描かれた作品が深くなり読者は感動する。そういう構造になっている。

だが今の時代はさまざまなものが見えづらくなっているので、「ナラトロジーは私の体の中にある」と言える人はほぼいないだろうし、今の僕自身にしても、かつてのように無闇に制度に喧嘩を売るみたいなことはできない。

だからこそ、今ナラトロジーを学ぶことには意味がある。

さらに言うならば、ナラトロジーをきちんと知らないと、ビギナーズラックみたいに一作は書けても、何十冊もの本を書きつづけていくことはできないだろう。

この項のテーマは「欲望」なのだが、では「欲求」と「欲望」はどう違うのか。端的に言ってしまえば、「欲求」がそれがなければ生きていけないものであるのに対し、「欲望」とはじつはそれがなくても生きていけるものだ。

「彼女がいなければ俺の人生はおしまいだ。死んでやる！」

いやいやいや、女性は他にもいますから――なんてアドバイスは彼の耳には入らないだろう。欲望とは何かとの関係性の中に生まれ、幻想領域で呼吸するものなのだ。

そろそろ結婚して、子供を産みたいと思っている女性が婚活しているとしよう。

彼女の「結婚したい」という気持ちは欲求なのであり、欲望ではない。

アブラハム・マズローの欲求の５段階理論で言えば、安全への欲求（Safety needs）であり、「欠乏欲求」のひとつである。

彼女が集団で行われる婚活パーティで理想的な相手と出会い、「あの人と本格交際できたらいいな」と願うのは欲求なのであって欲望ではないのだ。

ところが本格交際が始まり、２人のデートが恋愛風になってきて、結婚という目的にとってはネガティヴな点がいくつか露見してきたとする。

ホテルに行って抱き合うことになったのだが、ペニスが異常に小さくセックスできない体だった――という関係を描いたのが僕の『歓喜の歌』だ。

あるいは彼の実家が多額の負債を抱えていたとか、高学歴で年収も高いのだがモラハラをしそうな病んだ内面の持ち主だったとか、いろいろなファクターが考えられる。

安全への欲求という座標軸の中で考えれば、この人と結婚しても幸福な未来は想定しづらいわけで、交際を終了して別の男性を探すべきだろう。ところが彼女の中に彼の弱さに対するシンパシィが生まれてしまい、今ここで関係を断つことができない。

どうしようかなと思い悩みながら週末デートを繰り返すうちに1年が過ぎ、彼女は1つ歳をとり、婚活市場での客観的な価値を下げてしまった。

こうなってくると、欲求は欲望に変質してきていると考えられる。

結論を言うが、「欲求」が前提でも「欠落」は生じるわけで、物語を構築することはできる。食料がない村に住む少年が村長に依頼されて旅立つ、というような小説だ。だがもしも「欲望」を設定することができれば、物語のスケールはもっと大きく、面白く、深くなる。これはエンターテインメントでも純文学でも同じだ。

おわかりいただけただろうか。「欲求」を「欲望」に昇華していく過程に、文学が生まれるのだ。

欲望という単語には、あまりいいイメージがないだろうと思う。金の亡者の商人とか、あちこちの女性とやりまくる男とか。しかし、性犯罪を起こした犯人はありあまる性欲を持て余したモンスターのような人物なのではなく、正常な性行為が不可能な弱者である場合が多い。

少なくともひと昔前はそうで、クライムノベルはこうした逆説的な構造に支えられていたわけだが、この頃の○×大学の何とかサークルなんて学生達の性犯罪を見ていると、どうやらそうでもないようだ。

犯罪のクオリティが落ちてきているというか、非文学的になってきている。

いろいろなものが、壊れてしまっているのだろう。

恋愛というものは犯罪によく似ていると僕は思う。

だって、ある日、女性であるあなたの前に見ず知らずの男が登場して、

「一目惚れなんです。あなたなしでは生きていけません」

と告白するのが恋愛なのだから。

「わぁ、ありがとう。なんて素敵な方！」

ということになれば幸福な恋愛が始まるわけだが、ま、そういうケースはあまりない。

関係が歪んでいき、ストーキングが始まり、ＳＮＳでの中傷があり――となっていけば、恋愛だったものは犯罪に変質してしまっているわけだ。

僕も『安息の地』とか『ニュースキャスター』とかクライムノベルを書いてきたので、何か事件が起こると各社の編集者の方が連絡をくれる。同じ事件で複数の小説が刊行されると売れ行きが落ちるという判断なのか、出版社のほうもどの作家にどの事件を依頼するのか調整しているのかもしれない。

インターネットで事件のアウトラインを見てみると、「これは小説にはならないよな」とか、「これをマジで書くと俺の命が危ないよな」とかいうものばかりである。

もう3年越しに依頼されている事件もあり、その編集者氏は僕が何度も断っているのに年賀状に「今年こそは是非！」と書いてくる。いやぁ、ちょっと無理。

犯罪小説でなくても、たとえばほろ苦い恋愛ストーリーを書く時にも、彼女と結ばれたいという「欲求」をベースにしていては「お話止まり」になってしまう。

彼女との別れがその後の人生にこんなにも大きな喪失感を残したのだという「欲望」に昇華できなければ、小説にはならないわけだ。

まず自分の中の安全への欲求とか、社会的欲求／所属と愛の欲求、承認の欲求から自己実現の欲求など、さまざまな欲求を欲望に昇華するというか育てるというか、深化させていくことが大切です。すると、「私」という存在がどんな具合に組み立てられているか理解できてくるはずだ。それを理解した上でなければ、いくら書いても「お話止まり」でなかなか小説にはならないのだ。

オンラインサロン『「私」物語化計画』にはカウンセリングやコーチング、心理学やヒーリング、美容などの専門家の方がいらして、そうした専門分野を素材に小説を書こうとしている。

この場合には、独特のメソッドがある。

ただ自分の専門分野での出来事を繋いでいってもそれは「お話」にしかならない。「〇×のようにしたら成功した」というエピソードの羅列ではダメだということだ。

この場合も、作品のヘソになるのは欲求ではなく欲望なので、考案したキャラクターの胸のコアに欲望を埋め込むことが大切だ。

たとえば承認欲求ならば、「この人にだけはどうしても承認してほしい」という設定にすれば、欲求はごく自然に欲望になる。あるいは「〇×のようにしたら成功した」けれども、彼が10代の頃に抱えていた喪失感はさらに際立った――という展開にしなければならないということだ。

プロレタリア文学やキリスト教文学など、ある特定の目的に沿って書かれた小説はよく「主人持ちの文学」であると言われる。

革命や神がご主人様なわけだ。

こうした小説の構造にはおのずと限界がある。それと同じことにならないように、自分の専門分野はあくまでも素材なのであり、それに作家が隷属しないように意志を強くしなければならない。それさえ実現できれば素材は魅力的なわけだから、いい小説が書けるはずだ。

もうひとつ、関係性について確認しておこう。

誰が書いていたのか忘れたが、欲望とは対象物があるから生まれるのだ、具体的な対象物が先だ――という指摘である。

ポルシェというスポーツカーがあるから、そいつに乗りたいという欲望が生まれる。別にポルシェでなくてもクルマはたくさんあるわけで、でもポルシェでないとなぁというのは欲求ではなく歴然とした欲望だ。

また自分の作品の話で恐縮だが、ポルシェ550スパイダー（ジェームス・ディーンが事故で亡くなった時に運転していたスポーツカー）のイラストレーションを描くことに取り憑かれた男の短い生涯を『欲望』というタイトルの小説にしたことがある。天才的なイラストレーターが風呂屋の壁の絵を描く詐欺師を師と仰ぎ殺されるまでの実話を書いたのだ。

その時に僕はまだナラトロジーについてよく知らなかった。だが、こいつはまさに欲望だよなと思ったのだった。

欲望は何かとの関係性の中に生まれる。

欲望は幻想領域で呼吸するものだ。

欲望というのは、ポルシェ550スパイダーとか性器に異常を抱えた男とか、目の前の美しい女性とか、とても具体的なものの形をしているということだ。

それを見つければいいのだ。

あなた自身とあなたがこれから書こうとしている小説の主人公の欲望は、どんな形をしていますか？女性あるいは男性ですか。動物の場合もあるでしょう。それともテレキャスターのようなギター、薔薇の花、もうずいぶん昔に見た雨上がりの公園の風景？

それを見出すことができた時に、あなたは初めて「私は――」と、小説の1行目を書き出すことができるだろう。

3章 いよいよ旅立ちだ！

アルゴー船に乗り組み、コルキスの黄金の羊の毛皮を求めて

お待たせしました。

ようやく出発だ。

今まで旅立ちの準備に時間を使ったが――つまり言語と物語の構造について学んできたわけだが、いよいよ船を出す。大海原へ向かって、無限の可能性を秘めつつ！

アルゴー船（ギリシア神話に登場する巨大な船）に乗り組み、コルキスの黄金の羊の毛皮を求めて、船を出すのだ。乗組員は本書を読んでくださっている方々全員である。

船を出す――すなわち発語する、1行目を書くということだ。

欲望から禁止が生まれ、禁止は欠落を生み、その欠落を満たすにはどうしてもコルキスの黄金の羊の毛皮が必要なのだ。

ただ船に乗り込む時に必要な要因がある。それは、「外圧によって否応なく追い込まれ」船に乗り込むことになってしまったという現実を認めることだ。

つまり、あなたが書こうとしている主人公が旅立つ時には、「自分でいろいろ考えて出発する決意をし

た」とか、「親友や恋人のアドバイスを受け入れたから」とか、「家族と相談した結果」というのはダメなのだ。

あくまでも拒否できない外圧、つまり自分ではコントロールすることもできず抗うこともできない何かしらの力によって、「旅立ち」に追い込まれたという設定にしなければならないのだ。

それを冒頭10行で書く。10行というのは喩えだが、冒頭で大切なのは、とにかくウダウダ説明しないこと。

夏目漱石の有名な「草枕」の冒頭部分はこうだ。

山路《やまみち》を登りながら、こう考えた。
智に働けば角が立つ。情に棹《さお》させば流される。意地を通せば窮屈だ。とかくに人の世は住みにくい。
住みにくさが高じると、安い所へ引き越したくなる。どこへ越しても住みにくいと悟った時、詩が生れて、画《え》が出来る。
人の世を作ったものは神でもなければ鬼でもない。やはり向う三軒両隣りにちらちらするただの人である。ただの人が作った人の世が住みにくいからとて、越す国はあるまい。あれば人でなしの国へ行くばかりだ。人でなしの国は人の世よりもなお住みにくかろう。

（夏目漱石『草枕』）

何かしらの外圧によって「どこへ越しても住みにくいと悟った時」に追い込まれ、だからこそ詩が生れて、画ができるのだと漱石は言っているのだ。

太宰治は書き出しの天才だと思うが、「鉄面皮」という短編がある。その1行目はこうだ。

安心し給《たま》え、君の事を書くのではない。

（太宰治『鉄面皮』）

この冒頭の1行は何度読んでも笑ってしまう。最初に読んだ時には爆笑した。

太宰は何かしらの力によって追い込まれた場所を、冒頭どころかタイトルで表現している。この短編の「旅立ち」とは抗えぬ何かしらの力によって自分は鉄面皮になってしまったということであり、それを「安心し給え、君の事を書くのではない」という文章でスタートさせることにより、読者の胸ぐらを強引につかみ作品世界に引きずり込んでいる。

お見事、と言うしかない。

ちなみに、意味がわからないという若い人のために補足しておくが、鉄面皮というこの古い言葉は、鉄でできている面の皮という意味で、恥知らずで厚かましいことを指す。

太宰治は自分は鉄面皮な作家だとつづけるわけだ。

夏目漱石や太宰治などもはや古典だと考えられているかもしれない日本文学を例に引くのはわざとで、

ナラトロジーという外国から入ってきたロジックは、ハリウッド映画や海外ファンタジーにだけ適用されるわけではないということを示したいからだ。

友達と相談した結果、やはり東京へ行ってバンドをやることにしたいろいろ考えたが、もう精神的に限界なので彼女と別れることにした

こういう設定はダメな例で、主人公がバンドをやるならば、単位を落として大学を追い出されたので東京へ行ってバンドをやるしかなくなった、という具合にしなければならない。

彼女に別の男ができてもう会いたくないと言われたから別れるしかなかった、と書き出さなければならないのだ。

小説という芸術は、主人公が具体的に移動する様子を描いていかなければならないようにできている。時間と空間を旅するのだ。

主人公が自分の部屋でずっと考えつづける様を描くのは、哲学者か思想家に任せておけばいい。小説でこれをやると、多くの場合、駄文の連なりにしかならない。

大切なのは、そうした時間と空間の旅は、主人公が「自分の部屋でずっと考えつづけて」自ら主体的に選びとったわけではなく、何かしらの外圧によって追い込まれたから実現したのだという形にしなければならないということなのだ。

なぜそうしなければならないのか？

理由は２つある。

ひとつは、物語とは少年や少女が大人になっていく過程を描くものであるからだ。喜んで大人への階段を登る子供はいない。

「今日から離乳食だからね」と母親が言う。

「いやだ、おっぱいがいい」と子供は答えるだろう。

「4月からは小学校よ」と母親が言う。

「まだ保育園がいいのにな」と子供は内心思っているにちがいない。

小説だけではない。『機動戦士ガンダム』に、象徴的なシーンがある。

ザクの襲撃を避け、軍艦ホワイトベースに乗り込んだのはいいが、コロニーは廃墟と化してしまう。アムロはそのままホワイトベースに乗り続け、ガンダムのパイロットになることを余儀なくされる。疲弊しきっているなか、敵戦闘機の編隊がホワイトベースを襲う。そこでブライト船長がアムロにガンダムに乗って出撃するように命じる。ガンダムを操れるのはニュータイプのアムロ少年しかいないので、他に選択肢はなかった。

だがアムロはこれに反発する。

記憶に頼って書くので正確ではないが、

「子供の僕がなんで兵器なんかに！」というようなことを言う。

するとは駄々っ子のアムロを叱るように、ブライト船長がアムロの頬を叩くのだ。

そして、あの有名な台詞がアムロの口から吐き出されるのである。

「親父にもぶたれたことないのに!」

この台詞がプリントされたTシャツが秋葉原で売られています——というのはどうでもいい情報ですね。

ここでアムロが積極的にガンダムに乗り込む——つまり自ら「旅立つ」のでは、『ガンダム』はあれほど魅力的な作品にはならなかっただろう。そう、まさしくアムロは嫌々ながら大人への階段を登るのだ。

『ガンダム』は忠実に物語論をトレースしている作品と言えるだろう。

外圧によって旅立つという設定にしなければならないもうひとつの理由。それは、現実のわれわれがそのように生きているからだ。ごく最近、僕はこの事実に気がつき、愕然としたのだった。

あなたもこれまでの人生を、自分の意志で選択したことなど、実は一度もないのだ。

小説には「工学的な側面」と「芸術的な側面」とがある

小説を書くことと深く関わりながら、しかし「自分探しの旅」に深く根ざしている話をしたいと思う。

これは、大学の教員をやることになり、ナラトロジーを学ぶことになった、僕なりの最新の知見である。

かつてミック・ジャガーが「ロックンロールとは、若い連中にとってはちょっとした楽しみで、しかし俺にとってはもはや宗教だ」と述べたが、ナラトロジーとは僕にとってはもはや宗教なのかもしれない。どういうことか？

小説にはロジックで貫かれている「工学的な側面」と、感情の表現である「芸術的な側面」とがある。これを研ぎすませていくと無駄のない精緻な言語表現が成立する。

逆に言うと、この両輪がない物語は、小説として成り立っていない。

小説とは実際の人生を可能な限りリアルに模倣するものだ。それは、別の世界の見たこともない人々が繰り広げる、ファンタジーノベルにしても同様だ。

優れた小説は、主人公たちが逃れることのできない強い外圧によってある場所に追い込まれ、そこで力の限りを尽くす様を描くものだ。長らく大学で教えて来て、なんとかそれを学生達に理解してほしいとあの手のこの手で教えるのだが、これが理解できない学生は結局上達することができなかった。

長らくこうした作業を続けてきて、ごく最近、奇妙な事実に気がついた。

小説が人生を模倣するのではない。

人生が小説を模倣するのである。

少なくとも両者は非常に密接に強い影響を与え合っている。

そして、僕はひとつの結論を得た。

——僕らの現実の人生そのものが実は「外圧によって否応なくそこへ追い込まれたものなのだ」という

結論だ。考えてみればこれは恐るべき事実ではないか！

小説には、非常に緻密な描写が展開される密度の濃い10枚もあれば、何気なく作家が書き飛ばした密度の薄い10枚もある。

僕らの人生にも、必死で生きた1年があるのと同じ様に、なんとなくのんきに過ごしてしまった1年があるだろう。

密度の濃い10枚の原稿、必死に生きた1年。それは他に選択のしようがない結論を導き出すために必要な時間の積み上げだったのではないだろうか。

僕らは、これまでの人生を、いろいろ考え、家族や友人のアドバイスも受け入れ、多くの可能性や選択肢の中から選択してきたものだと信じ込んでいる。

だが、なぜあの高校へ行ったのか、なぜあの大学のあの学部に進学を決めたのか。あるいは、なぜこの女性（男性）と恋愛し、子供を授かり、しかしパートナーが繰り広げるモラルハラスメントに耐えかねて離婚し、今のこの仕事を選択したのか——というような個々の事柄は、実は選択なんてしようがなかったのではないか？

誰かが、たとえば神が、それを決めているのだと言いたいわけではない。

ナラトロジーというロジックが小説の工学的側面を決定するのと同じように、このロジックは僕らの人生の重要な事柄を決定しているのではないだろうか、ということだ。

ナラトロジーが僕にとってはもはや宗教だというのは、そういう意味だ。

長い小説を読み終え、主人公があそこであんなことをしなければ幸福になれたのに、などと読者の僕らは思う。

読者にそう思わせる作品は、傑作なのだ。

あんなことをしなければ良かったのに、でもせざるを得なかったんだよな、と僕らは苦い想いを噛み締めるのだ。

ナラトロジー、物語論が僕らに指し示すのは、「選択などできない」という僕らの現実に他ならないのではないだろうか。

真っ白な原稿用紙、あるいはMacintoshのテキストエディタに自由に言葉を記していく。作家は自由だ。何を書いてもいい。どこへ向けて旅立っても良いのだ。

確かにその通りだ。

あなたは自由だ。

しかし小説と呼ばれる作品の構造を精緻に磨きあげればあげるほど、選択などできなくなってくる。

小説を書き続ければ続けるほど、人生そのものも同じだということに気づくことになる。

なんだか呆気ないような、しかし同時に楽な気もする。

小説を書く時作家は文学の女神の奴隷だ。

では、人生において濃密にその気配が感じられる僕らの「主」とは一体何者なのだろうか？ そいつこそは「神」なのか？ それとも部屋の片隅にいる妖精？

おいジョバンニ、おまえが俺の「主」なのか？

まさかね！

この頃はそんなことを考えてみたりする。

ドストエフスキーの『カラマーゾフの兄弟』の「大審問官」の章は、文豪が神は存在するのかどうかを必死に考えた章だと言われている。

しかし、実はそうではないのだ。

ドストエフスキーはそこで、言葉による論理の力で、神というものを創造しているのである。

これは驚くべきことであり、「大審問官」は驚くべき章だ。

まだ未読の人は「大審問官」だけでもお読みになることを勧めたい。幕間劇みたいなもので、そこだけ読んでも意味は通じるので。

作家は文学の女神に仕えることにより、個々の人々の人生ばかりか神を創造することさえ可能なのだ。

文学の女神という言い方は、美化しすぎかもしれない。もっとドライに言えば、ナラトロジーというロジックがオートマチックに作動しているのだ。

テキストエディタを開いても小説を書き始められない時、それはハードなことかもしれないが、あなた自身が必死に生きた1年のことをできるだけ克明に思い出してみてください。選択する余地などなく、この1行でしかありえないという1行が思い浮かぶはずだ。それがつまり、ナラトロジーを発動させるということだ。

文学とは宗教に限りなく近いのかもしれない。そこへ、もう一歩踏み込む勇気を僕らは等しく持たなければならないのだと思う。

橋守を倒してルビコン川を渡る

自分の内側の欲求を欲望化し、大きな空っぽのプールのような欠落を発見し、「外圧」によって否応なく僕らの主人公は旅立った。

目的は、この空っぽのプールを豊かな水で満たすためだ。

ここまで、よろしいでしょうか?

さて、旅立ったといっても、まだ彼はそう遠くへ行けたわけではない。たとえて言うならば、まだ主人公の家がある村の中で、振り返ればぽつんと自分の家が見えたりする。

そういう距離感だ。

完全に未知の世界、異世界、新しい世界へ到達したわけではない。

次に主人公が体験しなければならないのは、「小鬼との戦い」だ。小鬼と書いたのは、この相手がそれほど強い相手ではないことを表現したいからだ。

僕らの主人公は村から外の世界へ続く道を歩いて行く。村のはずれに川があり、橋がかかっている。この橋の向こうには荒野が広がり、物の怪の類や、飢えた狼がいるかもしれない。

この橋に1匹の小鬼がいる。

小鬼は外の世界から物の怪の類が入ってくるのを防ぎ、同時に、村という共同体から出奔者が出ないよう、守っているのだ。

いわば「橋守」である。

橋守とは文字通り橋を守る人、橋の番人のことだ。江戸時代から明治の中頃、橋の警備や清掃などの任にあたった人のことを橋番と呼んだのだそうだ。

泉鏡花が初めて口語で書いた「化鳥」という短編があるが、この作品の主人公の母親は「橋番」だった。

少年の廉はある日、川へ落ちて溺れそうになり、気がつくと母様のお膝に抱かれていた。廉が「助けてくれたのは誰です?」と問うと、母様は「五色の翼がある美しい姉さんよ」と答えた。廉はその日から姉さんを探す。町にはいない。梅林にも桜山にも桃谷にも、菖蒲の池にもいない。

しだいに廉は森に迷い込んでしまう。

森はすっかり暗くなり、廉は家に帰ろうと思うが、突然自分が鳥になったかのような恐怖を覚える。その時、心配して探しにきてくれた母様が、うしろからしっかりと抱いてくれた。

美しい姉さんは母様だったのだろうか? しかし母様に五色の翼はない。ほかにそんな人がいるのかもしれない。けれど、もういい。母様がいらっしゃるから――という甘酸っぱい小説だ。

鏡花の作品の「橋番」もそうだが、橋守は決して強大な存在ではなく、むしろ弱々しい存在である。しかしこの橋守が、僕らの主人公が最初に戦わなければならない敵なのだ。物語の構造とは本当によくできているなと僕は感嘆する。

橋守とはむしろ弱々しい存在である。しかし、もう1つ条件がある。この存在は弱々しいけれども、主人公にとってはむしろ絶対的な存在でなければならないのだ。

主人公が、村の家を出ようとする。食糧危機に襲われた村を救うために、村長に請われ、荒野と山を越えて、食料を探す旅に出発するのだ。今まさに出かけようとする主人公を母親が遮り「お前には無理だ。行かないでほしい」と言う。

母の胸を突き飛ばし、主人公は外へ出る。母は尻餅をつく。

この時、母親は弱々しい存在でありながら、主人公にとっては絶対的な存在でもある。母親を突き飛ばした以上、主人公は目的を達成することなしに、村に帰ることができないだろう。

あるいは野心を持った男が、郷里にいられなくなり、東京に出る。彼に密かに好意を寄せていた後輩の少女が「行かないでほしい」と懇願する。「邪魔しないでくれ」と言い残し、彼は出発する。あるいはこの少女は、長年一緒に暮らした猫や犬でもいい。

少女や猫や犬は、弱い存在であるのと同時に、弱い存在であるからこそ主人公にとってはかけがえのない大切な存在でもある。つまり、イノセントな存在こそが絶対的な存在なのだ。

それこそが「橋守」であり、「小鬼」である。

そいつと戦い、勝利することによって主人公は本当に未知の世界、異世界、橋の向こう側の世界への旅立ちを果たす。彼は、この時ルビコン川を渡ったのである。

ルビコン川とは、古代ローマ時代、ガリアとイタリアとの境をなした川で、ルビコン川より内側には軍隊をつれて入ってはいけないとされていた。違反すれば反逆者として処罰されたのだが、ユリウス・カエサル（シーザー）は大軍を引き連れてこの川を渡り、ローマへ向かった。

この時にカエサルは「賽は投げられた」と言い、元老院令を無視して川を渡った——という故事から、もう後戻りはできないという覚悟のもと、重大な決断や行動を起こすことを「ルビコン川を渡る」という。

僕らの小説の主人公も、なるべく早い段階でルビコン川を渡らなければならない。そのために橋守と戦い、そいつを捻じ伏せる必要があるのだ。

ナラトロジーというものは、すでに書かれた物語や小説を分析することによって成立したものであり、実際に僕らが小説を書く方法は無限にある。

計画を立てて書き始めることもあれば、闇雲に頭に浮かんだ言葉を記述していくこともあるだろう。小説には、これが正しい方法だというようなものはない。

ただ一般的に、ある程度は小説全体の構想を考え、ノートを作る方が失敗は少ないだろう。シノプシス、プロット、エピソード——といったものだ。プロットとエピソードは異なるものなのだが、これは別の機会にきちんと説明します。

いずれにせよノートをつけるなら、主人公が旅立ち、最初にどんな「橋守」「小鬼」に出会い、どんな具合にルビコン川を渡るかまでを考えておいた方が良い。「橋守」「小鬼」とはそれぐらい重要な存在だということだ。

さて、泉鏡花の「化鳥」の結末近くにこんな文章がある。

この時、背後《うしろ》から母様《おっかさん》がしっかり抱いて下さらなかったら、私どうしたんだか知れません。それはおそくなったから見に来て下すったんで、泣くことさえ出来なかったのが、「母様！」といって離れまいと思って、しっかり、しっかり、しっかり襟ん処《とこ》へかじりついて仰向いてお顔を見た時、フット気が着いた。どうもそうらしい、翼《はね》の生えたうつくしい人はどうも母様であるらしい。もう鳥屋には、行くまい。

（泉鏡花『化鳥』）

この小説は、ルビコン川を渡らずに、橋守の母のもとにとどまるという、通常の物語とは真逆の構造を持っている。鏡花らしいと言えばそれまでだが、主人公の廉はやがて母が守る橋を渡っていかなければならないだろう。

それが、大人になるということだからだ。

僕らの実際の人生にも、かけがえのない橋守という小鬼がいて、だが僕らはそいつを突き飛ばしルビコン川を渡り、今ここで、のうのうと暮らしているのだ。

小説や人生というものは、限りなく物悲しいものだなと僕は思う。

物語にとって最も重要なルールは「隠された父の発見」である

物語にとって最も重要な秘密、それが「隠された父の発見」である。

この「隠された父の発見」に至るまでに、まだ様々な要素があるのだが、大切なことを先に紹介します。

物語の構造は、大雑把にいうとこんなふうになっている。

①旅立ち／セパレーション
②通過儀礼／イニシエーション
③助言者の出現
④隠された父の発見
⑤帰還／リターン

この構造については、後にもっと詳しく解説するが、重要な骨組みはこんなふうになっているわけだ。

僕らの小説の主人公は、橋守を倒してルビコン川を渡り、「旅立ち／セパレーション」を遂げた。

橋守を倒してしまったからには後戻りすることができず、見知らぬ世界で次々に迫る通過儀礼を乗り越えていかなければならない。

通過儀礼とは大人になるための儀式という意味だが、これは一種の秘密を含んでおり、ゲームで言う「ステージ」だと考えればわかりやすい。

ゲームをやらない人は余計にこんがらがってしまう？　すみません……。長編小説で言うなら、1章のことです。

たとえば5つの通過儀礼がある場合、1つ目のステージボスを倒し通過儀礼が終わる直前に、2つ目の通過儀礼の予兆がなければいけない。

小説を読む読者は、主人公や登場人物たちが抱える「秘密」を知りたいわけで、それが読者が作品を読み進めていく原動力となり、読書という考えてみれば大きなエネルギーを必要とする行為を支えている。

1つ目の通過儀礼、秘密が開示される直前に、2つ目の秘密の存在がほのめかされる。そうすると、読者は先を読まざるを得ない状況に落とされることになる。

言い方は悪いが、それがストーリーテリングの重要なテクニックでもある。

連載小説の場合など、この技術はさらに重要になる。小説に限らずエッセイや、この本でも同様だ。1つの章が終わる直前に、次の秘密をほのめかしておかなければならない――のだが、ちゃんとできてるかな？

いくつかの通過儀礼を経て、主人公はついに助言者と出会う。助言者はそれまで知らなかった人物の場合も、身近にいた人物の場合もある。とにかく、主人公も読者も想定できなかった意外な人に、物語の最大の秘密を聞かされるのだ。それが「隠された父の発見」だ。

『スター・ウォーズ』の主人公ルーク・スカイウォーカーはダース・ベイダー自身に、「私がおまえの父親だ」と告げられる。『スター・ウォーズ』という物語にとって、これが最大の秘密の開示であることは明白だ。

様々な物語論の論文が出版されているが、意外とこの「隠された父の発見」については軽くスルーされていることが多く、実作者の僕としては不満が募る。物語にとってこれほど重要なことはないのにな、と思うわけだ。

ところでこの「父」を「母」にすることはできない。なぜかと言うと、多くの少年や少女は父親を乗り越えることによって大人になっていくからだ。「隠された母の発見」では、大人になるどころか母胎回帰することになってしまう。

そして重要なのは、物語の主人公にとっての「父」は、人格円満で優しく素晴らしい父親である——という存在ではいけないということだ。素晴らしい父親にも「隠された秘密」があり、すべての物語の主人公はこれと対決し乗り越えることで大人になる（つまりは物語が成立していく）のだ。

ちょっとシリアスなことを書く。

優しく素晴らしい父であったとしても、彼は主人公よりも先に死ぬ。それが人間の避けることのできない宿命である。つまり「隠された父の発見」とは、避けることのできない悲しみの発見ということになるのかもしれない。それを描くのが物語というものなのである。

ギリシア神話のオイディプスは父を殺して母と婚姻するわけだが、「父を殺して母を犯せ」というのが物語の物騒な原型なのである。本書の読者の皆さんには、こじんまりした「お話」を仕立てるのではなく、オイディプスぐらいスケールの大きな作品に挑戦してほしいと僕は本気で思います。

父が抱える秘密、悲しみ、「秘密としての父の存在」を助言者から知らされた主人公が選択する道は3つある。

① 父を殺す
② 父を許し和解する
③ 自分自身の中に父性を確立する

父を殺す代表作がドストエフスキーの『カラマーゾフの兄弟』であり、父を許すのがツルゲーネフの『初恋』であり、多くの現代文学は主人公が自らの中に父性を確立する。

有島武郎の『カインの末裔』は、主人公自らが父として神と対決しようとする様を描いた名作である。読んでおくと得るところが多い小説なので、是非とも読んでみてください。そして、構造分析すること。東北芸術工科大学の僕のゼミでも、『カインの末裔』の構造分析を課題にした。

ところで、すべての小説に父親が登場するわけではない。その場合は「隠された父の発見」を代行する

「隠された秘密の開示」がなければならない。

推理小説の場合、これが犯行の「動機」になる。動機が曖昧な推理小説ほどつまらないものはない。動機の切実さが、犯人へのシンパシーにつながり、読者は深い感動を味わうことになるのである。

「隠された父の発見」補足

「隠された父の発見」は物語論において最も重要なファクターだと僕は思っているのだが、『「私」物語化計画』で講義した際に「よくわからなかった」というメールを何通か頂いた。

そこで、もう少し詳しく書いておくことにする。

ロジックで説明しても伝わりづらいのかもしれないので、今回は講義テキストというよりも、エッセイを書くつもりで語りたいと思います。

まず、わかりづらいと書いてくれたメールを2通紹介します。最初のメールは20代の青年からのものだ。


父というものが主人公にとってどんな存在でなければならないか、それが物語にどう寄与するかという部分がよくわかりませんでした。

あと、「人格円満な父ではいけない」→「人格円満な父も主人公より先に死ぬ」→「隠された父の発見とは悲しみの発見であるというところの話のつながりがよくわかりませんでした。

物語というものは、「平和な世界で皆が幸福に暮らしている」という世界を描いても感動は少ない。感動がある物語というものは、欠落があり、主人公は外的な圧力によってやむなく旅立ち、様々な試練を克服し、終盤で強力な敵と戦い、これを倒して元の日常生活に帰還する——という構造を持っている。

この中の強大な敵というのが、とりもなおさず「父」という存在なのである。

現代ではかなりその形が変わってきているが、かつては一般的に父とは外に出てお金を稼ぐ存在だった。家族はそのお金で自分たちの生活を支えている。

父は外（社会）へ出てお金を稼いでくる。だから「私」にとって血を分けた親であると同時に、外からやってくるエイリアンのようでもあるだろう。ヒーローにも似ているようだし、会社の陰険な上司に似ているようでもある。

ただし、ナラトロジーというものは小説を書くための方法ではない、ということを忘れてはいけない。すでに、過去に書かれた多くの神話や昔話、物語の構造を分析したロジックがナラトロジー——物語論というものだ。

したがってあなたが小説を書こうとする時、ナラトロジーはあくまでも「地図」みたいなもので、リアルな街は、もちろんあなた自身の中にある。

というふうに考えると、「父というものが主人公にとってどんな存在でなければならないか」というのは発想が逆転しているということに気がついてもらえるのではないだろうか。

リアルなあなた自身の中の街で、父とはどのような存在なのか。

そちらが先だ。それを描く時に、地図を参考にすればいいわけだ。

人間の存在は多重構造になっており、「父」にももちろん、様々な側面がある。

誰かにとってはいい友人であり、誰かにとっては有能な部下あるいは信頼できる上司であり、誰かにとっては愛すべき夫であるかもしれない。

友人や会社のメンバーや妻は彼を超える必要はない。ただ彼の息子や娘、すなわち子供たちだけが彼を超える必要があるのだ。

なぜか?

大人にならなければならないからだ。

少年や少女が大人になるとは「父」を乗り越えていくことに他ならない。

ここに物語の秘密がある。物語の登場人物たちにとって「父」あるいは「父性を抱えた存在」とは特別な存在なのである。

多重構造としての父をどのように描くか。それが作家の腕の見せ所なのだが、その父も、最低限「人格円満な父ではいけない」のである。そもそも人格円満で優しく皆に愛される人間などこの地上には存在しない。

子供たちは多重構造としての父の特定の一面しか見ることができない。父子の関係とは前提として、そのようなものなのである。したがって、どんな父親も子供たちにとっては「秘密」として存在することになる。

しかし、この「秘密」としての存在にも明らかなことがひとつだけある。

それは父が必ず死ぬということだ。多くの場合、父は子供たちよりも先に逝く。

というわけで「隠された父の発見とは悲しみの発見である」ということになる。

この辺の事情がよくわかるのはツルゲーネフの『初恋』だろう。

作家志望の皆さんにとっては必読の1冊だと思います。僕のこの原稿を読んでいただいた後、『初恋』を読むと、物語論というものがもっとクリアにわかるはずです。

もう1通、30代の女性からのメールを紹介します。

彼女は僕に勧められ『カラマーゾフの兄弟』を丁寧に読んだ人だ。


面白かったです！　でもここ、何度読んでも難しいです。「母の秘密でもいいじゃん？」と思えてしまうので、そのうち番外編でもっといろいろ具体例をあげて説明してくれると嬉しいです。

たとえば、母性の欠片もないような憎むべき母親ではだめなのでしょうか？

虐待を受けた息子が、憎むべき存在だと思っていた母がつまらない人間だったと気付いて母の呪縛から逃れる物語、ではダメなのでしょうか？

どんな小説にも必ず主人公の父親が登場するとは限らない。

その場合は「隠された父の発見」を「隠された秘密の開示」で代用することになる。「母性の欠片もないような憎むべき母親」で代用できるのなら、もちろんそれでも構わない。ただその場合にも「隠された秘密の開示」が必要なのだということを忘れてはいけない。

それから、これも今の時代はそんなことはないわけだが、かつて母の向こうには「社会」がなかった。だからたとえ憎むべき母であったとしても、物語の世界では「母の秘密」を設定しても主人公の成長に必要な「私――父――社会」という構造を作りにくかったのだろう。

物語が最終的に開示する秘密は、子供にとっての父親のように強大なもの、父親のように多面的なものの一部であること、父親のように超えることに悲しみを感じるもの、であるべきなのだ。それをナラトロジーではシンプルに「父」と表現しているのだ。

さて、大学の教員仲間の1人に「山川さんはナラトロジーを講義しているけれども、そんなものを前提に小説を書いたことがあるのか?」と聞かれたことがある。

正直に言えばウラジミール・プロップやジョーゼフ・キャンベルくらいは読んだことはあったが、僕が物語論について学ぶようになったのは大学の教員をやることを決めた後のことだ。したがって、物語論に沿って書いた小説は『人生の約束』とか、数本しかない。

しかし物語論を調べていけばいくほど、これはまさに俺自身のことについて構築されたロジックみたいだなと思った。

冒頭に欠落があり、後半に隠された父の発見がある。それはあたかも僕の人生そのものだった。いわば、僕の肉体を流れる血液のように、ナラトロジーはあったのだ。

僕が「父」について初めて率直に書いた小説は、父親が亡くなった直後に書いた「老いた兎は眠るように逝く」という作品だ。

その1文を引用しておきます。


バス停に向かって歩きながら、iPhoneに差したヘッドフォンを耳につける。ブルース・スプリングスティーンの曲が流れてくる。

"Independence Day"だ。"The River"というアルバムに入っている。

アメリカ合衆国の独立記念日に、親父に別れを告げて家を出て行こうとする男の歌だ。一行目の歌詞に、僕の心は縛りつけられる。

――パパ、ベッドへ行きなよ、もう夜も遅いよ。何を言い合っても、もう何も変わらないんだよ。

この楽曲に登場する父親は、死につつあるわけではない。しかし、たった今息絶えようとしている自分の父親の横顔が、ダブって感じられるのだった。もういいよ、ベッドへ行けよ、十分に頑張って生きてきたじゃないか。

“Independence Day”の主人公は、朝になったらセント・メリーズ・ゲイトからこの街を離れるつもりでいる。この家の闇と、この街の闇が彼を打ちのめすからだ。その闇が父親と息子をつかんで離さないのだ。“the darkness of this house”という言葉が、僕の魂の奥底に突き刺さる。歌のなかに、18歳の時の僕と親父がいた。あの家にも、闇ってものがあった。それが僕らを飲み込んだのだ。だから僕も家を出た。それから気の遠くなるような時間が流れたのだ。

スプリングスティーンは歌う。パパ、ベッドへ行きなよ、もう夜も遅い――。

ヘッドライトを点けたバスがやってくる。

バスに揺られながら、僕はこの歌のなかで最も重要な箇所のことを考えていた。パパ、俺はあんたが心から欲しがっていたのに決して口にできなかった物のことがわかっているよ、とスプリングスティーンは歌うのだ。パパ、俺はそれをあんたから奪い取るつもりはないんだ、誓うよ――と。

僕の親父が心から欲しいと願いながら、決して口にできなかった物とは、一体何なのだろうか？　いずれにせよ、僕はそれを奪ってはならないのだ。

総武線快速に乗る前に、駅前の蕎麦屋に一人で入った。

（山川健一『老いた兎は眠るように逝く』）

ここで書いた「親父が心から欲しいと願いながら、決して口にできなかった物」のことが、実は僕にはよくわかっている。

それこそが彼の「秘密」なのだが、スプリングスティーンは「俺はそれをあんたから奪い取るつもりはないんだ、誓うよ」と言っている。その通りだと思い、そのことについてだけは僕もここで書かないことにする。

しかし、である。僕にしたところで、「隠された父の発見」には数十年を費やし、彼が逝ってしまった後、初めてそのことを書いたことになる。

物語のコアにある「父」の存在とは、それほど深く難解で、悲しみに満ちているということだろう。

4章 あなたは善人ですか、それとも悪人ですか？

悪が存在しない小説はつまらない

とても重要な質問をする。タイトルの通り「あなたは善人ですか、それとも悪人ですか？」という問いだ。

我ながらすごい問いかけで、かなり親しい間柄でも面と向かって聞くことは難しい。それなりに真剣に考えていただきたい。考えてから先を読んでください。

さて、結論は出ましたか。

もちろん皆さんは、1人残らず善き人たちであると思う。つまり善人だ。少なくとも日常生活や友人関係においてはそうだろう。

僕だって、日常的なレベルではかろうじて善人の範疇に入るだろうと思う。

翻って悪人とはどんな人間なのだろうか。よく「業が深い」などと言う。これは悪人に近いニュアンスだろう。

「彼（彼女）は業が深いからね」

「人間とは、業の深い生き物である」――などと使われる。

男の場合だと業が深いのは金に執着するイメージで、女の場合だと恋愛に執着する感じだろうか。もちろん女性で金に貪欲な人もいるだろうし、最近では男性で元恋人に執着しストーカーと化す人もいる。

この「業」とは仏教用語の「業（カルマ）」のことだ。カルマとは、前世で行った悪行の報いということである。

なんだかすごい展開になってきたが、業が深いというのは「前世で重ねた罪深い悪行の報いを現世で背負っている」という意味になる。

つまり、それが悪人という存在だ。

もちろん皆さんとは、そして願わくば僕とも関係のない話のはずだ。ただし、それは僕らが小説というものを書かなければの話だ。

僕らは、時に本質的に「私」について考えたり、小説を書いたりする。その時にも善人だと言い切れるだろうか。

ここが文学や芸術の厄介なところなのだ。

今回僕が皆さんに伝えたい最も重要なことは「みんな良い人過ぎてそのままでは面白い小説になりませんよ」ということだ。

因果な話だよなぁと自分でも思うが、作家は作品に向かっている時は悪人になり行間に悪を忍びこませないと面白い小説は生まれないのです。

僕自身の話をしよう。

文学や「私」に向かい合う時、僕の胸の中に黒曜石の結晶みたいなものがある。そいつは外側からは見えないけれども、鉱物と同じような確かさでそこにある。

1つ小説を書くことは、1つ罪を犯すことだと僕は思っている。もちろん皆さんの全員がそうだと無茶なことを言うつもりはないが、多かれ少なかれ真剣に小説を書くと、大切な誰かを傷つけることになりはしないだろうか。

たとえば、弟が亡くなったとしよう。レクイエムのつもりで10年後に彼のことを小説に書く。既に亡くなっている弟が傷つくことはないだろうか？

小説を書くことで書いた方は癒され、弟は時の向こう側に置き去りだ。

これはフェアではないと僕は感じる。

自分が癒されたことで、弟が傷ついているように感じてしまうのだ。

そんなことでひるんでいたら小説を書くことなどできないから自分を叱咤して書くわけだ。

小説を書くだけではなく、「私」というものを対象化する時にも事情は同じだろう。

僕にとっての「ジェノバの夜」とは、簡単に言ってしまえば「ロックと共に生きていくのだ」と決意したその瞬間だったろうと思う。

しかし、ロックの名で呼ばれる価値観を守るために、どれだけ大切な人たちを傷つけてしまったか。

これは悪人の所業なのではないだろうか。

そして、こいつの因果をひっくり返せば、「悪」が存在しない文学というものはつまらないということになるのである。

非道だった松尾芭蕉

芭蕉の『野ざらし紀行』には、富士川の川辺で出会った3歳の子供を見殺しにするエピソードが出てくる。

問題の箇所を引用します。

富士（川）のほとりを行《ゆく》に、三つ計《ばかり》なる捨子の哀《あわれ》げに泣有《なくあり》。この川の早瀬にかけて、うき世の波をしのぐにたえず、露計《つゆばかり》の命を待《まつ》まと捨置《すておき》けむ。小萩がもとの秋の風、こよひやちるらん、あすやしほれんと、袂《たもと》より喰物《くいもの》なげてとをるに、

猿を聞人《きくひと》捨子に秋の風いかに

（さるをきくひとすてごにあきのかぜいかに）

いかにぞや汝《なんじ》、ちゝに悪《にく》まれたるか、母にうとまれたるか。ちゝは汝を悪《にくむ》にあらじ、母は汝をうとむにあらじ。唯《ただ》これ天にして、汝が性《さが》のつたなき（を）なけ。

（「野ざらし紀行」『日本古典文学全集41』小学館所収）

現代語訳です。

富士川のほとりにさしかかった時、三つばかりの捨て子がいかにも哀れげな声で泣いている。［親は］とても子供を育ててはゆけないが、かといって名だたるこの川の急流に子供を投げこんで、自分たちだけこの浮世をわたっていくというのも、心がとがめてできない。それで、どうせ露が乾くまでのはかない命とは知りながら、こうして川原に捨てておいたのであろう。この小萩を吹く冷たい秋の風に、もろい命の今宵のうちに散るか、あすはしおれるだろうかと、ひとしお哀れで、たもとから食べ物を取り出し、投げ与えて通り過ぎようとした折の句、

猿を聞人捨子に秋の風いかに
（猿の鳴声に腸をしぼる詩人たちよ。秋風に泣くこの捨て子の声をなんと聞きたもうや。）

それにしても、一体どういうことなのか。お前は父に憎まれたのか、母にうとまれたのか。いやいや、父はお前を憎みはすまい、母はお前をうとみはすまい。ただこれすべては天の命であって、お前の生まれついた身の不運を、泣くほかはないのだ。

（同、井本農一訳　［］内は引用者補足）

猿を聞く人というのは、自分の漢詩に猿を登場させた杜甫や李白のことだ。晩秋の頃、猿が甲高い声を上げて叫ぶあの求愛の声は、古来哀しみの象徴とされ漢詩に詠まれてきた。

しかしこっちは猿どころの話ではないぞ、人間の子供の哀れな泣き声だぞ——と芭蕉は言っているわけだ。

いずれにせよ、子供を見殺しにしたこの時の芭蕉は間違いなく悪人である。

しかしここで芭蕉が子供の面倒を見たら、『野ざらし紀行』は完成しなかった。

芭蕉のこの非情さこそが、俳諧芸術の創造を可能にしたわけだ。芭蕉はひどい男だと僕は今でも思うが、僕らが小説を書く時にも事情は同じなのではないだろうか。

心温まる童話であったり、痛快無比な冒険小説であっても同じことだ。文学というものは本質的に「悪」をその内側に隠し持っており、作家の人生とは業が深いのだということを知っておく必要がある。

なぜそうなのか?

何かを表現することは何かを「認識」することだ。この認識者こそが「悪」なのだ。子供を見殺しにした芭蕉のように、認識者は現実に手を下すことができないからである。

しかしビビってはいけない。

前に進むことだけが大切なのです。

松尾芭蕉のように。

小説を書く時、僕らは美しい湖で泳ぐ白鳥たちの中の1羽の黒鳥なのであり、豊かな草原に群れる白い羊たちの中の黒い羊なのだ。

高校生の頃、僕の胸の中には空っぽのプールがあった。ここで言うプールとは、とても強い衝動、欲望の存在のメタファーだ。

その衝動とは、海面から空までのめくるめく距離を一挙に浮上したい、というようなものだった。

当時の日記に、僕はこう書いた。


もっとも深く夢見たものが、最も深く罰せられるのだ。それが芸術の掟だった。


目の前に花があったら、それを一輪挿しに飾って鑑賞するのではなく、握り潰したいと強く思った。なぜそんな衝動に駆られるのか、自分でも理解不能だった。そんな自分の中の空っぽのプールを豊かな水で一気に満たしてくれたのが、ロックだった。そしてランボーでありバタイユであり、小林秀雄であり中原中也だった。僕は少しずつ、「悪」というものを磨いていった。

ドストエフスキーを読んだ時には、これでもう俺には恐れるものは何もないのだと思えた。

あなたにも、そういうことはありませんか？

そう感じる時間、あなたは小説家なのです。

悪の創造のための5箇条

心構えみたいな話だけでは抽象的なので、あなたの小説に「悪」をインストールする5箇条を伝授しておきます。
これらは悪を創造するために必要な基本的な事柄です。

❶関係性の中に悪は生じる。

共依存の例をあげるまでもなく、悪とは誰かとの関係の中に生じるものだということを知らなければならない。ドラクエのラスボスのオルゴ・デミーラのような絶対的な悪というものは小説には存在しません。

❷悪の相対性を忘れないこと。

誰かにとっての悪が別の誰かにとっての善であったりする。悪とは相対的なものなのだということを忘れてはいけない。

❸悪はいつも「正しい」者の相貌をして登場する。

お前を陥れてやる——などと言って近づいて来る人物は怖くない。お前のためを思って言っているんだというような「正しさ」の仮面を被って登場する人物こそが本物の悪だ。

❹悪の源泉とは人間の脆さ、弱さ、フラジャイルな面である。

蜜のように甘い悪とは、彼あるいは彼女のもっとも弱い部分から生まれてくる。

❺3人以上の登場人物の必要性。

こうした悪を小説の中で想像するためには、3人以上の登場人物が必要です。2人の人間のダイアローグの中に悪は生まれようがない。最低でも3人の人物をきちんと描写しリアルに動かせるようになってください。

さて。

最後にもう一度質問します。

あなたは善人ですか、それとも悪人ですか?

悪を磨く覚悟はできましたか?

5章 7人に1人の子供が貧困状態の日本で「正義」について考える

物語を作るためには「悪を創造」しなければならないのだと前章でお伝えした。これが重要な魔法のルールのひとつなのである。

だが同時に、悪と正反対の存在を設定する必要がある。こちらの方が、実は難しい。

さて、「悪」の反対語はなんだろうか。

ここまで「善」ということで話を進めたのだったが、少し範囲を広げると「正義」ということになるのではないだろうか。文学の女神に誓って言うが、「正義」を設定しなければ発語するのは不可能なのである。

この「正義」というのが厄介で、それも実に相対的なものなのだ。

正義という言葉には、社会性が付与されている。つまり同じ社会で暮らす人間たちが共通に持っている価値でなければならない。

しかし、そんな正義が成立し得るのだろうか。

21世紀の今、西側の社会にとっては「民主主義」と「立憲主義」が実行されることが正義であると考えるのが一般的だろう。

民主主義（Democracy）とは、社会の意思決定をその社会を構成する人々が行う、社会の構成員が最終決定権を持つ制度のことだ。これを主権と言うのはご存知の通りです。

政治体制としては直接民主主義と間接民主主義がある——と、昔学校で習ったはずだ。

立憲主義（Constitutionalism）とは、政府の統治を憲法に基づき行うという原理で、政府の権威や合法性が憲法の制限下に置かれている。

つまり憲法とは政府を監視し制約を課す基本的な法律なのだ。この社会は憲法に立脚し、それは政府の権力の上位にあるとするのが立憲主義だ。

脱線しますが、今の日本では、権力を制限されるべき政権側が改憲に必死で、こういうのは疑ってかからなければならないと僕は思っている。

ヨーロッパもアメリカも日本も立憲主義を前提とした民主主義を基本的な体制としており、これを立憲民主主義と呼ぶ。

というわけで、立憲民主党というのはとても良い名前なのである。名前負けしているので、もう少し頑張ってほしいものだと僕は個人的には思っている。

小説にとっても、「正義」は「悪の創造」以上に重要なのだ。

僕らにとって一般的な価値観は普遍的ではなく、小説を書く場合、さらに多様な価値、多様な正義を作品に取り込まなければならない。

今の世界のすべてを立憲民主主義という正義がカバーできているわけではない。イスラム教やユダヤ教の国家では、宗教的な価値観がベースにあるだろう。宗教が国家の枠組みの上位にあるわけだ。

中国では共産党の存在が絶対的であり、北朝鮮は独裁的な権力を持った朝鮮労働党の委員長の金正恩が絶対的な存在である。

北朝鮮の憲法には「委員長は国を代表する」とあるそうで、これにより金正恩委員長は国家元首とされる。

こんな風に「正義」の考え方が異なる国同士で色々交渉しなければならないわけで、それは並大抵のことではないし、小説世界を構想するのはもっと大変なのだ。

国家体制の問題だけではなく、同じ日本の中にも複数の正義が存在するし、時代の変化とともに正義は変容していく。

小説を書く際、登場人物の数だけ「正義」が存在し、それがぶつかり合うことでストーリーが展開していく。したがって、具体的に何が「悪」で何が「正義」なのかということを作家自身が考え抜かなければならないのだ。

たとえばスティーヴン・キングの『呪われた町』でも相反する正義がぶつかり合うことでストーリーが展開し、いろいろ考えさせられる。

小野不由美さんの『屍鬼』のオマージュ元にもなっている吸血鬼モノなのだが、吸血鬼という目に見えぬ恐怖に町が崩壊していくというストーリーだ。

この小説は『死霊伝説　セーラムズ・ロット』というテレビ映画にもなり、日本のＳＮＳゲームである

『Fate/Grand Order』の「禁忌降臨庭園セイレム」にも強い影響を与えている――と、僕は思っている。

小説は田舎町のセイラムズ・ロットでの、人間と吸血鬼との死闘を描いており、前半では吸血鬼に支配される以前の町の人々のダメっぷりがこれでもかというぐらい描写される。

その上で、主人公格の1人であるアル中の神父が町を救うために命を賭けて吸血鬼のボスと対決するのである。しかし彼は神を信じきることができないが故に吸血鬼に敗れ、町から逃亡してしまう――という構造になっている。


彼はガラスに額を押しつけて、少なくともいくぶんかは彼のわざわいのもとであったハンサムな顔に、苦悩と疲労の皺が深々と刻まれるにまかせた。

わたしは飲んだくれの堕落した司祭です、神父さま。

両目を閉じると、暗い告解聴聞室が目に浮かび、自分の指が仕切り窓をあけて人間の心のあらゆる秘密のヴェールを剥ぎとるのを感じ、膝つき台のニスと、古くなったヴェルヴェットと、老人たちの汗の匂いを嗅ぎ、自分の唾液の中にアルカリの痕跡を味わうことができた。

お赦しください、神父さま。

(わたしは弟の馬車をこわしました、わたしは妻を殴りました、わたしはミセス・ソーヤーが着替えをしているときに窓からのぞき見をしました、わたしは嘘をつきました、わたしは騙しました、わたしは淫らな考えを心に抱きました、わたしは、わたしは、わたしは)

わたしは罪を犯しました。

ふと目をあけたが、フレッド・アステアはまだあらわれていなかった。たぶん時計が十二時を打つと同時にあらわれるのだろう。彼の町は眠っていた。ただ——

彼は視線をあげた。思った通り、そこだけは灯がともっていた。


（スティーヴン・キング『呪われた町』集英社文庫）


ここだけ読んでも怖いのが、さすがスティーヴン・キングという感じである。

神父は結局、穢れた自分に絶望し戦線を離脱する。

読者は神父は臆病で卑怯だと思う一方、虐待やＤＶなど町の人々のどうしようもない「懺悔」を聞かされる立場にある彼が神を一瞬でも疑ってしまったのは仕方のないことだったのだとも考えるだろう。

つまりそれこそが「正義」のぶつかり合いの表現なのだ。

小説を書くなら正義とは何かという洞察が不可欠だ。

今の日本はどうなっているのだろうか？　ここ10年で大きく様変わりしてしまっている。

数字で見てみよう。

３世帯に１世帯が貯金ゼロで、７人に１人の子供が貧困状態に置かれている。これは先進国で最悪レベルだ。その数は約３０００万人に及ぶ。

夏休みには田舎に帰省し、海や山や川で遊び、それを楽しい思い出としてまた学校へ行く。それが僕らが考える「子供」というものだった。しかし今、長期の休みをつらいと感じる子供達が300万人もいるのだ。食事は給食頼みなので、長期休暇明けに痩せて登校する子供達がいる。夏休みは約40日あるが、休み明けにかなり痩せて学校に戻って来る子がいるのだそうだ。

『休みのトリセツ』というブログにこう記されている。

貧困状態にある子どもにとって、「毎日お昼だけでも給食を取る」ということはとても大切です。普段から朝ごはんを食べない、夜ごはんも、食べていてもカップラーメンや菓子パン、良くてコンビニのお弁当など、栄養バランスが取れていない子が多い。1日の中で給食だけしか食べない子もいます。

また、長期休暇がきっかけで不登校になることも珍しくありません。子どもの場合は家庭の習慣に影響を大きく受けるので、親が夜に働いてたり、かなり遅く帰ってきたりする場合、子どもも夜型になります。学校に通っていた時にはできていた「朝起きて、日中活動して、夜寝る」という基本的な生活習慣が失われてしまうことで朝きちんと起きれなくなり、学校に行けなくなってしまいます。

（休みのトリセツ「子どもの貧困が原因、給食が食べられず休み明けに痩せて登校する子どもたち」
https://lite.blogos.com/article/371830/）

大学生の2・6人に1人が奨学金を借り、経済的理由から進学を諦める子供も多い。その返済に迫られ、パパ活をしたり、働きながらも生活保護以下の暮らしを強いられる人々が社会問題になっている。

全労働人口の約40％が非正規社員であり、非正規の平均年収は約175万円（月14万5000円）である。こんな状況で消費税を上げると、生活は苦しくなり、さらに景気が悪化する可能性が高い。さらにインフレは加速し、明日にも2008年のリーマン・ショック以来の金融危機に陥る恐れがある。

僕らが自分を物語化して本当の「私」を発見し、小説を書こうとしているのはこのような時代なのである。

東北芸術工科大学の教員時代、僕は小説の書き方だけを教えていたわけではなく、「悪」や「正義」についても論じていた。教員の数が少ないので、リベラルアーツも担当していたのである。

リベラルアーツとは一般教養に近いのだが、少し違う。一般教養とは専門的知識や職業的技能ではなく、社会人として働いていくための必要最低限持つべき知識を指す。一方リベラルアーツは、教養という知識をスキル化することが目的であり、明確な答えがない問いに対処する。

僕も世界の宗教史、哲学と思想の歴史、白村江の戦いと万葉仮名の登場、『源氏物語』や『枕草子』などの女流文学から始まる日本の文学史について講義した。西行、芭蕉、漢詩についてもカバーし、日本国憲法が生まれた背景、その後の日本の戦後史にも時間を割いた。年表を作成して配布したりした。もっともその頃は旧統一教会と自民党の癒着は知らなかったわけで、日本の戦後史のおぞましさには唖然とさせられる。

思えば、あの8年に及ぶ大学教授時代は、僕自身がもっとも「世界」について学んだ期間であった。少人数のゼミでは、学生達のフリートークをメインにするように心がけた。最初に僕が設問を投げかけ、後は学生達が自由に意見を言うのである。

この時に参考にしたのが、ハーバード大学のマイケル・サンデル教授（哲学者、政治哲学者、倫理学者）の『それをお金で買いますか 市場主義の限界』（ハヤカワ・ノンフィクション文庫）であった。マイケル・サンデル教授による超人気の哲学講義〝JUSTICE〟はテレビ番組でも扱われていたのでご存知の方も多いと思う。専門が政治哲学のサンデルは1953年生まれで、僕と同い年である。それで、なんとなく親近感がある。

彼が〝JUSTICE〟で実際に使った設問を3つ紹介しよう。

【ケース❶　代理母】
インドの代理母による妊娠代行サービス：6250ドル。

代理母を探している欧米諸国のカップルは、その仕事をインドに外部委託することがますます増えている。インドではそうした業務は合法であり、料金はアメリカの相場の3分の1にも満たない。

【ケース❷　クロサイを撃つ】

絶滅の危機に瀕したクロサイを撃つ権利：15万ドル。

南アフリカでは、一定数のサイを殺す権利をハンターに販売することが、牧場主に認められるようになっている。絶滅危倶種であるサイを育てて守るインセンティブを牧場主に与えるためだ。

【ケース❸　コンシェルジュ・ドクター】

主治医の携帯電話の番号：年に1500ドルから。

1500ドルから2万5000ドルの年会費を払うのを厭わない患者に対し、携帯電話の番号を教えて当日予約をとれるようにする「コンシェルジュ」ドクターがますます増えている。

学生達が考えなければならないのは、「正義」とは何かということだ。マイケル・サンデルは功利主義、リベラリズム、リバタリアニズム、コミュニタリアニズム——という4つの正義を紹介している。

《功利主義》

功利主義は、社会全員の幸福の総和を最大にしようという考え方だ。個々人の喜びと苦しみを量として把握した上で、喜びから苦しみを引くとその人の幸福の分量がわかる。

幸福度合い、みたいなものだ。

社会全体の幸福度合いを最大にするのが正しい政策だというのが功利主義だ。戦後の日本はひたすらこの路線で、GNP（国民総生産）を最大にすることに注力した。「経済が発展すれば幸福の総量が増える」という考え方が高度経済成長を支えたわけだ。功利主義はイギリスの哲学者であるジェレミー・ベンサムが創始者だと言われている。

《リベラリズム》

正義と幸福に関するもうひとつ大きな流れは、義務と権利をベースにしている。それが「リベラリズム」と「リバタリアニズム」で、まあ、この2つは対立しているわけだ。

リベラリズムは——僕などこれを信奉して来たのだと思うが、基本的人権を重要視する。結社の自由、言論の自由、デモをやる権利など政治的自由を尊重するとともに、いわば福祉の権利も重視する。福祉国家の思想的な背景もリベラリズムということになるだろうか。

《リバタリアニズム》

リバタリアニズムの方は、政治的な自由と同時に経済の領域における自由も不可欠だとする考え方だ。労働によって正当に得た物は自分のものであり、その所有権をおかしてはならない。福祉のためとはいえ累進課税で国家が強制的に私有財産を取り上げることには反対する。規制緩和、民営化の思想でもある。

自由主義と区別するために完全自由主義、完全市場主義などと訳されている。

政府は国防と外交と犯罪取り締まりにのみ責任を持つ「小さな政府」であるべきだと考える。

リベラリズムでは、福祉政策、富の再配分などを認めるのに対し、これらすべては政府による個人の自由の侵害だとして、政府による金融管理や市場介入は認めない。

極端に言えば麻薬を禁止する必要もなく、シートベルトも締めなくていいし、売春も双方が同意していれば許される。

他人に危害を加えないかぎり、何をしようと個人の自由なのである。

《コミュニタリアニズム》

種明かしをすれば、マイケル・サンデルは「コミュニタリアニズム」こそが正義だと主張しているわけだ。

共同体主義と翻訳されている。

サンデルは美徳を中心に正義を考えようと主張する。こうした思想の持ち主はコミュニタリアンと呼ばれる。

さて、いかがだろうか。あなたはどんな「正義」を支持しますか?

リベラリズムとリバタリアニズムは、たとえば「人権」のように個人を中心に考える。

だがコミュニタリアニズムは人々が共にあることに注目し、共に考え、共に行動する共通性を重要視している。

もう1つの大きな特徴は、善き生き方を考えることが、正義を考える上でも重要だとしている点だろう。

つまり、何がこのコミュニティにとって善いことかと考えることこそが正義なのである。

これを「共通善」と言う。

高度経済成長を支えたのは功利主義だったが、状況はグローバルになり、第一次産業が衰退した。そこで登場したのがリバタリアニズムで、ITベンチャー企業が輝いて見えた。

しかしリバタリアニズム＝市場主義の行き過ぎが企業モラルの問題、市場の動揺を生んだ。具体的に言えばリーマンショックのような市場経済自体の破綻、動揺が起きたのだ。

そこでクローズアップされたのがコミュニタリアニズムであった。

利益の最大化をはかり、それを株主に還元し企業規模を拡大し自分も出世する

↓

私企業だから利益は必要だが、それを通じて共通善に寄与する可能性を追求したい

そういう価値の転換が行われたのである。

反社会的な企業の株は買わないという選択も可能である。

今の日本と世界は混乱している。

とりわけ日本の状況は惨憺たるものだ。とても正義が執行されているとは言い難い。そういう中で注目されているのがコミュニタリアニズムだが、倒産寸前の中小企業の社長が、あるいは来月の家賃をどう払おうかと呻吟している人たちが、大学を卒業した途端に多額の奨学金という名前の負債を背負った若い世代が、トー横でパパ活をする家出少女達が、「共通善」について考えろと言われても無理というものではないだろうか。ふざけるなよ、という話である。

さらにコミュニタリアニズムでは美徳、もっとはっきり言えば道徳とは何かということが大事なわけだが、道徳といっても幅広い。戦前の教育勅語が道徳だと主張する政治家もいれば、ロックスピリットが道徳だと考える僕のような男もいる。新興宗教団体の提唱する道徳もあるだろう。

何を道徳、美徳、行動規範にするか、というのは大問題である。

企業においても、経済的利益と社会的貢献を両立させるのが大きなテーマで、しかしこれがなかなか難しい。

こういう事態に落ち込むことを、「モラルジレンマが生じる」と言う。

あなたはモラルジレンマに陥っていませんか?

そんな時に僕が考えた5つ目の正義について書いておきたい。

脱線になるが、『上海の西、デリーの東』(新潮文庫)で知られる年下の作家の素樹文生さんに「山川さんほど文学の力を信じてる人っていないよね」と言われたことがある。

そうかな？

そうかもね。

いずれにしても、僕が政治思想でも哲学でも心理学でもなく、文学というものを信じたいと願っているのは間違いがないだろうと思う。

４つの正義の他に、僕らには文学的な正義という５枚目のカードがあるのだろうと思う。文学的な正義は、小説に登場する人物たちの正義の上位に位置する。

小説の数だけ正義がある。

作家は、それを探さなければならないのだと思う。

次の章で具体的に見ていきます。

6章 「正義」だけは脱構築することができない

個別の小説作品の正義

正義について考え解決できない問題にぶつかることを「モラルジレンマが生じる」と言うが、今の日本を覆っているのはむしろモラルハザードである。

復習になるが、4つの正義のカードとは、リベラリズム、リバタリアニズム、コミュニタリアニズムに功利主義を加えた4枚だ。僕は政治思想でも哲学でも心理学でもなく、文学というものを信じたいと願っているので、4つの正義の他に、文学的な正義という5枚目のカードがあるのだと思っている——と書いた。

今回の話は多分難解なので最初に結論を書いてしまいますが、文学的正義には2枚のカードがある。1枚目のカードは、小説作品それぞれに添付されているカード。これを仮に「文学作品正義カード」と呼ぶことにする。

もう1枚は、それがないと作家が（作家でなくても）書いていく、あるいは生きていく意味を失いかねない「脱構築不可能な正義カード」だ。

この2つの「正義」のカードの存在に自覚的になることで、あなたが書く小説とあなたが送る人生は一気にコアを獲得し明確な輪郭を描くようになるはずだ――ということでスタートしよう。

小説には固有の「正義」というものがある。それがないと作品はまとまらない。

これが「文学作品正義カード」だ。

正義という言葉は少し抽象的かもしれないので、これを「主人公の行動指針」あるいは「達成すべき目標」という言葉と置き換えてみても良い。「テーマ」でもいい。

「達成すべき目標」というのはアメリカの原発の危機管理から生まれた考え方で、何よりも安全を優先させなければいけないのに、企業の保身やコストのことを考え肝心の最も重要な目標を見失ってはならない――というロジックだ。

小説も同じだ。小説には固有の「正義」、あるいは「主人公の行動指針」「達成すべき目標」「テーマ」というものがあり、それぞれの作品がその一点に向けてフォーカスされている。これが小説の縦糸になる。それがないと作品はまとまらない。あなたも、これから書こうとする小説にとって何が「正義」なのかということをじっくり考えてみる必要がある。

以上が「文学作品正義カード」だ。多分、ここまではわかりやすかったはずだ。

脱構築不可能な正義カード

ここから少しややこしい話になる。小説の作法というよりも「自分探しの旅」に寄った話になるかもしれない。最初に説明した「脱構築不可能な正義カード」の話です。

小説を書こうとしている作家の胸の中に宿る「正義」とは何かということについて、僕は長らく考えてきた。そもそもエゴの強い、客観的に考えれば最低の人種に分類されるような作家たちに——太宰治にしろ谷崎潤一郎にしろ坂口安吾にしろ、いやいや他人のことは放っておくとして、このモラルの範疇の外にこぼれている最低の自分に「正義」を語る資格などあるのかと考えてきた。

しかし、それぞれの作品にはそれぞれの価値観——いわば正義が存在するが、作家の側にもそれはあるはずなのだ。そうでないと、小説を書く意味なんてないではないか。

いや、小説なんか1行も書かなくたって「正義」は必要だ。こんな時代だから、「正義」は存在するはずだという確信を取り戻さなければ僕らの人生は二束三文になってしまう。というふうに悩んでいた時に発見したのが「脱構築不可能な正義カード」なのだが、まず弁証法の話をしたい。

この世界は諸事象の集合体ではなく、諸過程の集合体であるとヘーゲルは考えた。

テーゼ（定義）とは1つの意見だ。

アンチテーゼとは反対意見、反対の定義である。

そしてここから新たな高次元な見識、ジンテーゼ（1つの結論）が生まれる。

こんなふうに高次元の見識に達することを「アウフヘーベン（止揚）」と言う。

弁証法でよく引き合いに出されるのが、花の例だ。

花（A）は、花でないもの（非A）でもある。というのも、花が花でしかなかったら、永遠に〝花〟のままだからだ。

花は、今の状態を保持するのでなく、枯れたり、実になったりする。どうして枯れたり、実になったりするのか?

それには生物学的な理由があるのだろうが、とりあえず何か原因がある。

それをヘーゲルは、花の中に非花（花自身の否定）があると考えたわけだ。

つまり花は、花でもあるし、非花でもある。

この非花（花自身の否定）があるから、実が結ばれることが可能なのだ。

こうしたヘーゲルの弁証法を前提に、20世紀のフランスの哲学者のジャック・デリダが「脱構築」ということを言った。

この脱構築は、小説を書こうとする僕らにとって、あるいは「私」の秘密を知りたいと願う僕らにとっては非常に有効な考え方である。

デリダはフランス領アルジェリア出身のユダヤ系フランス人で、ポスト構造主義の代表的哲学者だ。

サッカーが得意だったそうで、哲学シーンのジダンみたいな人だ。

ジネディーヌ・ジダンといっても今の若い人はピンと来ないかもしれないが、サッカー界のスターで、何度かレアル・マドリードの監督を務めた。

デリダはエクリチュール（書かれたもの、書く行為）の特質、差異に着目し、脱構築（ディコンストラクション）という考え方を提唱したのだった。

【脱構築（Deconstruction）とは何か?】

この世界は様々な構築物で成り立っている。

日本、日本人、日本国憲法、東京大学、関西電力株式会社、男女、山川健一のような個人、『「私」物語化計画』のような集団、高速道路や建物のような建築物、善悪、それらすべてが構築物だ。

しかしそれらすべての構築物は、固定されているわけではない。今、たまたまそういう状態にあるだけで、時の流れの中で変化していく。

ヘーゲルが言うように、この世界は「諸事象の集合体ではなく諸過程の集合体」なのだ。

形而上学の伝統においては、これらの構築物を二項対立で考える作法が一般的であった。

具体例を挙げれば、内部／外部、自己／他者、真理／虚偽、善／悪、自然／技術、男／女、西洋／非西洋、日本／韓国などの二項対立を立てて世界を見ようとしてきたのだ。

デリダは、この二項対立には「他者」を排除する欲望が潜んでいたのではないか——と言う。男が女を、西洋が非西洋を排除したいという欲望が潜んでいたのだ。

だからこそ、すべての構築物を脱しなければならないのだ、とデリダは言うのだ。脱構築的思考は他者を排除しようとする欲望を暴き出そうとするのである。

とりわけ問題なのは「法」だ。「法」は社会の基本であり、それなしに人間が生きていくことはできない。しかしだからこそ、「法」は他者を排除しようとしてきたのだ。今も日本の「法」は外国人の方々や在日の方々に牙を剥いているではないか。入管法改悪の問題は深刻で、このままでは日本の全体が鬼の棲む鬼が島になってしまう。

時の流れと共に「法」こそは脱構築され続けなければならない。

デリダを巡る書籍でいちばんわかりやすいと僕が思っているのは『デリダ―脱構築　現代思想の冒険者たち』（高橋哲哉／講談社）なのだが、肝心なところを引用します。少し難解ですが、読んでみてください。

あらゆる法は脱構築可能である。法の脱構築可能性が脱構築を可能にするのだから、脱構築とは法の脱構築以外のなにものでもない。

デリダはあらゆる価値の破壊者だ、脱構築はニヒリズムだと信じてきた人ならば、ここで「わが意を得たり」と思うかもしれない。「それみたことか。デリダはあらゆる法を破壊し、正義の可能性を否定しようとしている」と。ところが、事態はまったく逆なのである。脱構築はニヒリズムではない、それは「肯定」の思想だ、というデリダの主張がもっとも明確な形をとるのは、まさにこの地点においてなのだ。

あらゆる法が脱構築可能なのは、正義が脱構築不可能だからである。「もしも正義それ自体というようなものが、法の外あるいは法のかなたに存在するとしたら、それは脱構築することはできない」。正義は脱構築不可能なものである。脱構築が起こるのは、脱構築不可能な正義がある仕方で―現前としての存在とは別の仕方で―「存在」するからである。すべてが脱構築可能なのではない。脱構築不可能なものが「ある」からこそ、脱構築は生じる。脱構築とは脱構築不可能なものの肯定である。つまり、正義の肯定なのである

（高橋哲哉『デリダ―脱構築（現代思想の冒険者たち）』講談社）

だれもが知っているように、法はつねにおのれが正しいこと、正義であることを主張する。だがデリダにとって、法が正義と完全に一致することはけっしてない。なぜか？　たったいま見たように、どんな法も法であるかぎり創設の原暴力を含んでいる。また、法の維持は創設の原暴力の反復を含んでいる。原暴力とはすなわち、決定不可能なものの決定であり、（主体の、現前の、ロゴスの普遍性の）他者との関係の抹消である。法と正義がけっして一致しないのは、正義の核心にまさにその他者との関係があるからにほかならない。法は必然的に一般的形式的であり、特殊者をその適用対象として包摂するが、正義はつねに特異な者、単独者（Singularité）に、他者としての他者、「まったき他者」にかかわっている。脱構築が正義の肯定だというのは、それが「まったき他者」の肯定だということ以外のなにものでもない。他者の呼びかけへの応答としてのみ脱構築ははじまる。他者との関係こそが脱構築不可能なのである。

（同）

法の「創設の原暴力」とは、たとえばかつての法律が男女平等ではなかったり、植民地支配を肯定して

いたということだ。だからこそ、「法」という基本的な構築物は脱構築され続けなければならないのである。

その時に大切なのは、すべてが脱構築可能なのではないということだ。希望のような「正義」というものがあるとして、それだけは脱構築不可能なのである。脱構築不可能なものが「ある」からこそ、脱構築が可能なのだ。

脱構築とは脱構築不可能なものの肯定であり、すなわち「正義」の肯定なのである。

適切な例ではないかもしれないが、神について考えてみよう。念のため、これは僕が勝手に考えた例で、デリダが言ってるわけではありません。

神が存在するかしないか、それはよくわからない。

だが、神というものを仮にそこに仮定することで、僕らは悪魔の存在を想定することが可能になる。あるいは、善という概念を持つことが可能になる。

おそらく文学というものは、脱構築不可能なものが存在するという確信の上にしか成立しないのではないだろうか？

デリダは脱構築論を哲学・思想として提出した。これを文学の領域に引き寄せるならば、そもそも小説が成立するとは、二項対立を超えた価値を表現することであり、その価値は僕らの胸の中にあるのだ。「文学作品正義カード」とは別に「脱構築不可能な正義カード」が存在するということだ。

正義それ自体はというと、もしそのようなものが現実に存在するならば、法／権利の外または法／権利のかなたにあり、そのために脱構築しえない。脱構築そのものについても、もしそのようなものが現実に存在するならば、これと同じく脱構築しえない。脱構築は正義である。

〈デリダ『法の力〈新装版〉』叢書・ウニベルシタス／堅田研一訳〉

――「正義」だけは脱構築できない。

最初にデリダのこのフレーズを読んだ時に僕は感動し、これで俺は小説を書き続けることができると思ったのだった。

むしろ脱構築し続けるという運動そのものが「正義」なのである。

【作家達の意志の運動】

それぞれの小説にはそれぞれの正義が存在する。「肯定的に生きる」「誰も見捨てずに全員で生き延びる」「男の胸の奥に潜んだ暗部から発せられる暴力を許す」「潰れそうになった組織を立て直す」。

これらの正義はその作品の内部でだけ有効なものであるが、それを書いた作家自身の胸の中にある「正義」は脱構築不可能なのである。

なぜ、一般的価値観からすれば不正義とされる行動や思想が、小説の中だけでは正義となり得るのだろうか。たとえばなぜクライムノベルは成立し得るのか。

『ヴィヨンの妻』では、主人公が努力して借金を精算したわけでもなく——つまり貧しい家族の暮らしは一向に楽になる見込みがない。一般的に見て不正義の夫の話であり、無価値な顛末であるのに、なぜ小説として成立しているといえるのか、読んで感動するのか。

それは「私たちは生きていさえすればいいのよ」という妻のセリフによって脱構築不可能なもの、「脱構築不可能な正義カード」が肯定されるからではないだろうか。

一方で文学的な正義とは関係ないところで「お話」として成立している昔話のたぐいでは、どれもが「めでたしめでたし」という通俗的な達成や安心の獲得がゴールになっているわけだ。

文学的な正義というものが2つある。「文学作品正義カード」と「脱構築不可能な正義カード」である。この2枚のカード、2つの正義は時に緊密に連携するのである。そこに、文学というものの希望があるのだと僕は思う。

ジャック・デリダが言ったように、脱構築不可能なものが「ある」からこそ、脱構築が可能なのだ。

それを信じることができるか？

これはデリダとは全く関係なしに僕が抱いている感想に過ぎないが、脱構築不可能な文学的な正義とは限りなく信仰に近いのではないだろうか。

もう一度、デリダの思想を噛み締めようではないか。

脱構築とは脱構築不可能なものの肯定である。つまり、正義の肯定なのである。

（高橋哲哉『デリダ―脱構築（現代思想の冒険者たち）』講談社）

どんなに惨憺たる世界に生きていようとも、正義はある。僕ら一人ひとりの胸の中に、それだけは脱構築不可能なものとして。

だから僕らは「私は――」と書き始めることができるのだ。

"Do The Right Thing"という映画があった。スパイク・リーが脚本・監督・主演をつとめた1989年の映画だ。ブルックリンの黒人街、ベッドフォード・スタイヴェサントの小さなラジオ局を1人で切り盛りするDJのトークがモーニング・コールとなり、その年一番の暑さを記録することになった夏の1日が始まる。

公開時にこの映画を観て、僕は感動した。

正義を執行せよ――というタイトルを、僕はデリダを読みながら何度も思い出したのだった。

7章 工学的構築物としての小説 ——書き出しの現象学

任意の1行からスタートし、必然の1行に辿り着くための長い旅

これまでにプロップに始まる物語論（ナラトロジー）について書いてきたが、実作者の1人して、これらと正反対の構造を小説は持っているなと感じる。

プロットを書いて、その設計図通りに作品を書いていく——という方法とは真逆に見える構造も、小説を書くという行為は内包しているのである。この方法というか構造を、僕は勝手に「書き出しの現象学」と呼んでいる。

小説というのは何を書いてもいい自由な芸術だ。

どこから書いてもいいし、どんな展開がその後に待っていても構わない。インモラル——背徳的な世界を描くのももちろん可能である。

しかし、最初の1行を書くと、2行目は1行目に拘束されることになる。2行目で、1行目と全く関係のないことを書くのは「工学的な間違い」なのである。

広い草原に、1軒の家がぽつんと建っている。それを空からの視点（神の視点）で描いてもいい。レン

ズがクローズアップしていき、庭で少女が花を見ている、その小さなブラウスの背中を描写する。

現実ではありえない、そんな展開で小説をスタートさせても良い。

しかしその次のシーンで、全く関係のないことは書けないのである。草原の中に建った1軒の家の向こうには断崖絶壁があり、その向こうには真っ青な海が広がっている——というように展開させていかなければならない。

縁側に並んで座った老夫婦が、色づいてきた柿の実を眺めているシーンから書くとする。その次の行は1行目を受けなければならないので、たとえば隣の住人が和菓子を持ってやってきた、というような展開にならざるを得ない。男は女を抱き寄せ強引に唇を——という展開は無理なのだ。


小説には「芸術的なエモーションの発露」という側面と「工学的な構築物」という側面がある。

1行目は、繰り返すが、何を書いても良い。それは作家にとっての芸術的な側面の表現であるからだ。しかし1行目を書いてしまった後は、丹念に工学的な構築物を制作していくつもりで、その作品が持っている論理を決して裏切らないように書き進めなければならない。

そのようにして1章ができあがる。2章は1章に記された言葉のすべてに拘束されることになる。5章は4章までのすべての言語に拘束されることになる。

やがて作家は、長い小説の最後の1行を書き記すことになる。

最終行は、それまでに書いたすべての言語に導かれ、それ以外にはないという1行になるはずなのだ。

作品を締めくくる最後の言葉は、作家が書くわけではない。作品自身が最後の1行を決定するのである。

小説を書くという行為は、任意の1行からスタートし、これ以外にはないという必然の1行に辿り着くための長い旅なのだと言える。

その作品が面白いかどうかということは別にして、あるいは好きか嫌いかということは別にして、プロの作家の作品はそこがきちんとしている。

どこにもない世界のことを書いたフィクションなのに、間違いなんてあるのか。そんなふうに考える人が多いだろうと思う。残念ながら小説が「工学的な構築物」である以上、間違いは存在し、そいつは許されないのだ。

これは実は文学だけの話ではない。

あらゆる音楽は基本的には3つの和音で成立している。クラシックもタンゴもロックもジャズもそうだ。3つの和音の組み合わせにより、「工学的な構築物」としての音楽が成立する。

A〜Dとコードが進行したら、空に小石を投げたら必ずそれが地上に落ちてくるように、次にはCが来なければならない。

もしもエイリアンが地球にやってきたとして、モーツァルトを聞かせたら彼らは感動するに違いない。

なぜか。

音楽とは物理学的な法則の上に成立しており、地球に飛来するUFOも同じロジックで宇宙を飛んできたのだろうから、エイリアンにだってモーツァルトがわかるはずだからだ。

途中まで書いた小説の先のストーリーを思いつかない、という相談をこれまでに複数の人たちから受けた。

そんな時の僕のアドバイスは、いつも同じである。

「それまでに書いた原稿を推敲しながら何度でも読みなさい。その先のストーリーはすでに書かれた原稿の中にあるはずです」

なぜそうなのか？

それは、繰り返すが、小説というものが工学的な構築物だからである。あなたが書いている小説の101行目はそれまでに書き記した100行の言語の中に必ず眠っているはずなのだ。それを探し出すことが小説を書くという行為なのです。


別の側面から、同じこの問題について考えてみよう。

言葉はカオスに形を与える。曖昧模糊とした目の前の世界から、意味を取り出そうとする。そして「意味」は連続性を持っている。意味とは点のようなものではなく、糸のようなものだと考えればわかりやすい。この連続した意味の連なりを確認するのがプロットである。

唐突に見える事件でも、あるいは唐突に思える恋人からの別れ話でも、実は一連の意味の連なりの延長線上に成立しているものだ。

その意味の連なりを見失わないようにすること。小説を書く上で、それはとても重要なことだ。言葉によって成立している小説は、いくつもの意味の集積の上に1つの世界を繰り広げるのである。

小説家は設計図を元に家を建てる大工さんのようなものだ。ただし、木材や石材を使うのではなく、言語だけを使って1軒の家を建てるのである。丹念に仕事をする職人のように、原稿を書き記さなければならない。そうでないと、奇妙奇天烈な建築物ができあがってしまうことになる。

「書き出しは自由だが、一度書き始めたら作家は作品に隷属するのだ」ということを1日でも早く知ってほしい。

それがプロの作家への最短コースです。

こうした考え方を、ここでは「書き出しの現象学」と呼ぶことにしたい。これは実は僕が考えた言葉ではなく、批評家の吉本隆明氏の言葉である。それを僕は広義に解釈し小説に応用しているわけだ。大学の文芸学科では、ヤマケン用語の1つだと言われていました。

今後本書で僕が「書き出しの現象学」という言葉を使ったら、「ああ、あのことか」と想起してください。

さて、最初に作ったプロットを「書き出しの現象学」が裏切ろうとする瞬間に、作家なら誰しもが遭遇する。そんな場合はどうすればいいか？　迷わずに「書き出しの現象学」に従ってください。これを俗に「登場人物が動き始めた」などと言うのである。

僕らのストーリーに「偶然」は存在しない

「書き出しの現象学」という考え方を自分探しの旅に応用してみる。

自分で言うのもなんだが、この考え方は全く僕のオリジナルで、なかなか果敢な試みになるはずだ。

この考え方において最も重要なことは、僕らのストーリーに「偶然」は存在しないということだ。ここで言うストーリーとは、あなたが書く小説であり、同時にあなたが今まで生きてきた時間の積み重ねのことでもある。

つまり物語のことである。

小説には情報を圧縮する機能があり、たとえば10年間の出来事を５００枚の小説にすることが可能だ。これが1冊の本になれば、10年間に及ぶストーリーを2、3日で読むことができる。

事件が起こり、５人の捜査員が１００軒の家の聞き込みを行うとしよう。小説なら1行で済むところだが、映像だと、５人の人間があちこち聞いて回る様子を描写しなければならないから、少なくとも数分は要するだろう。

このことからもわかるように、言葉が持つ情報の折りたたみ機能とは驚くべきものだ。それを十分に活用し、小説はソリッドな構造を実現することになる。余計な枝葉は可能な限りカットされ、「書き出しの現象学」に基づき、ストーリーが論理的に展開されることになる。

そこでは結果的に、可能な限り「偶然」が排除されることになる。

書き出し部分近くで偶然に見えたことも、結末が近くなるにつれ、「あれは仕方がなかったのだ。むしろ必然だったのだ」と読者が思えるようにストーリーが展開していく。それが、プロットがしっかりした小説というものである。

つまり、優れた小説であればあるほど「偶然」は排除されることになる。

さて、ここまでナラトロジー（物語論）を一緒に学んできた皆さんは納得してくださるだろうと思う。ここでさらに一歩踏み込んでみたい。

その前にお断りしておかなければならないが、僕は本当は神秘主義者である。同時に文学主義者でもある。大学の教員をやっている時には、差し障りがありそうなので、自分のそんな側面をなるべく学生には見せないように注意してきた。

不自由だった！

ここではそんな気遣いは要らないので、僕が本当に感じていることをストレートに書くことにする。

僕は長らく小説というものに哲学や思想や政治以上の価値を求め、小説のコアでは実は神秘が呼吸しているのだと信じているのだ。

小説の中心に神秘が配置されている作品が優れた小説だと思うし、そういう小説が好きなのだ。

神秘主義者だと言うと、変人扱いされそうだが、なに、文学の世界では谷崎潤一郎も川端康成も、あの夏目漱石でさえ神秘主義者だったではないか。

５００枚の小説に比べ、僕らの人生は長い。人生は時間軸に沿って生きていかなければならないので、情報を折りたたむことさえできない。

文学作品に比べ僕らの人生は雑駁でとりとめがなく、多くの場合、弛緩した時間が積み重ねられていくことになる。文学的な悲劇や、歓喜や、怒りなどというものとは程遠い気もする。

だがたとえば、5年という時間を振り返る時、僕らは小説を読むように、あるいは小説を書くように、自分の人生を対象化していくのではないだろうか。

その時に、重要な事実に気がつく。僕らの人生は、文学によく似ているのだということに。

多くの人は、人々の人生を小説が模倣しているのだと考えるだろう。

だが、そうではない。僕らの人生の方こそが、小説を模倣しているのだ——ということは既に述べた。

そのことに気がついた時、僕は愕然としたのだった。

自分の人生は、物語という名前の座標軸に固定されているのだ。そうだったのか、だから僕らは物語に惹きつけられて止まないのだ。

自分を探す。それはとりもなおさず物語の中のどこに自分が位置するのか発見する行為なのではないだろうか。

優れた小説であればあるほど「偶然」は排除されることになる——と僕は書いた。おわかりいただけるだろうか。

自分を探すために人生を振り返る時、僕らは「偶然」を排除しなければならないのだ。

僕らは自分の進路や、職業や、恋愛や友情における出会いや別れを、半ば「偶然」だと考えている。

あの時に電話をしなければ、彼女と別れることにならなかったかもしれないとか、1本前の電車に乗ればこんなことにはならなかったのに——とか。

だが言葉によって小説を書くように、僕らは言葉によって人生の重要な場面で選択し、方向を決定してきたのである。

いきなり切り出されたように思える恋人からの別れ話でも、実は一連の意味の連なりの延長線上に成立しているものだ。会社を辞めたのも、新しい誰かと出会い新しい仕事を始めたのも、すべては「必然」だったのだ。

意味の連なりを見失わないようにすることが小説を書く上で重要なように、これまでの人生を意味の糸で織ろうとする時、あれは「偶然」だったのだという言い訳を排除することが大切なのではないだろうか。

僕らは僕ら自身の人生のプロットを抽出しなければならない。それが見えた時、誰もが自分のこれまでの選択と決定に意味を見い出すことができるようになる。

僕らの人生には、意味のないことなど1つも起こらないのだ。

この事実はきっと僕らに一握りの勇気を与えてくれるだろう。小説を読むように自分の人生を読む。「私」を物語化するというのは、つまりそういうことなのだ。

あなたが恋愛をしているのなら、あるいは過去の恋愛を振り返っているのなら、自分自身を物語化するだけでは不十分だ。相手の話をよく聞き、できれば子供の頃からの話を聞き、書き出しに相当する「ジェノバの夜」とは何だったのかを聞き、その長いストーリーを意味の糸で縫う――すなわちプロット化することが必要だ。

もう会うことが叶わない相手なら、彼（彼女）の言葉をよく思い出し、立体的なプロットを組み立てるように努めてみる。

そうすれば、小説の読者のように、僕らは自身から少し離れた場所に立ち、この魅力的な「私」と「恋人」という主人公達を見つめ直すことができるだろう。

それはきっとあなたに癒しの感覚を与えてくれるに違いない。「書き出しの現象学」を自分探しの旅に応用すること。それは、とても有効な冒険の旅になるはずだ。

8章 現代小説のための設計図

現代小説のための設計図には2つの相反するナラトロジーがある

第1編の最後の章だ。ここで、「現代小説のための設計図」を発表します。可能な限りシンプルにしてあります。あなたが書こうとしている小説を、この設計図――アーキテクチャに照らし合わせてもらうためだ。

現代小説のための――としたのは、プロップやキャンベルが対象にしたのが昔話や神話だったのに対し、僕らが書くのはエンターテインメントや純文学、児童文学などの「現代小説」だからだ。

過去のナラトロジーに敬意を表しつつ、そいつを脱構築しないと使い勝手が悪い。

現代小説のための設計図、簡単に言ってしまえばヤマケン・ナラトロジーには、2つの相反するナラトロジーがある。

それは「書き出しの現象学」と「隠された父の発見/隠された秘密の開示」だ。そして「隠された父の発見」は「発語以前」と「発語以降」に分けられる。

まず「隠された父の発見/隠された秘密の開示」から。

【現代小説のための設計図「隠された父の発見／隠された秘密の開示」】

——発語以前（書き始める前）——

ジェノバの夜。

これは複数回存在する。「英雄は何度でも生まれ変わる」（キャンベル）のである。

欲求の欲望化。

アメリカの心理学者アブラハム・マズローが人間の欲求を5段階の階層で理論化した自己実現論。

①**自己実現の欲求**（Self-actualization）

②**承認（尊重）の欲求**（Esteem）

③**社会的欲求／所属と愛の欲求**（Social needs / Love and belonging）

④**安全の欲求**（Safety needs）

⑤**生理的欲求**（Physiological needs）

これらの欲求を「欲望化」すること。「この人がいないと生きていけない」のように。すると、「欠落」

が生じる。

――発語以降――（1行でも書いた後）

①欠落／欠如の存在

これはシンプルに「退屈」でもいい。
ファンタジーなら「村を襲う飢饉」などでもいい。
愛する人との離別。
破産。
愛する猫や犬との別離。
いずれにせよ、最初の欠落が大きければ大きいほど物語のスケールは大きくなります。

②旅立ち／セパレーション

主人公は外圧によって「嫌々」旅立つことが大事。これはいわば「母胎」を出て大人になるための出発なのだから、喜んで出かける人はいない。『機動戦士ガンダム』『新世紀エヴァンゲリオン』『ファイナルファンタジー』すべてそうです。外圧によって出発せざるを得ない――という形にする。

③通過儀礼／イニシエーション

通過儀礼は1つではなく、複数なければならない。

たとえば5つの通過儀礼がある場合、1つ目のステージボスを倒し通過儀礼が終わる直前に、2つ目の通過儀礼の予兆がなければいけない。

小説を読む読者は、主人公や登場人物たちが抱える「秘密」を知りたいわけで、それが読書という、考えてみれば大きなエネルギーを必要とする行為を支えている。

1つ目の通過儀礼、秘密が開示される直前に、2つ目の秘密の存在がほのめかされ、すると読者は先を読まざるを得ない状況に落とされることになる。言い方は悪いが、それがストーリーテリングの重要なテクニックでもある。

この「通過儀礼」でストーリーラインの多層化を実現する。

そのために「悪」を創造する。

悪の創造

・関係性の中に悪は生じる。（共依存の例）

・悪の相対性。

・悪はいつも「正しい」者の相貌をして登場する。
・悪の源泉とは人間の脆さ、弱さ、フラジャイルな面である。
・3人以上の登場人物の必要性。

④助言者の出現

助言者とはプロップが言う「機能」のことであり、場合によってはサブストーリーにもなり、ストーリーラインの多層化にも貢献できる。（プロップについては後ほど詳しく説明します）
助言者は妖精や異形の者。「スター・ウォーズ」ならヨーダ。現代小説なら「思いがけない人物」である。

⑤隠された父の発見／秘密の開示

大人になる過程を描くのが物語なので、ここは「父」でなければならず「母」ではまずい。
これにはヴァリエーションがある。シリトー『屑屋の娘』なら「内なる父性の発見」だし、ツルゲーネフ『初恋』なら「父との和解」、ドストエフスキー『カラマーゾフの兄弟』なら「父の殺害」である。

もちろん、すべての小説に父親が登場するわけではない。

その場合は「隠された父の発見」をいわば代行する「隠された秘密の開示」がなければならない。推理小説の場合、これが犯行の「動機」になる。動機が曖昧な推理小説ほどつまらないものはない。動機の切実さが、犯人へのシンパシーにつながり、読者は深い感動を味わうことになるのである。

「隠された秘密の開示」はジェノバの夜にそのルーツがある。それだけジェノバの夜は重要なのだ。

⑥帰還／リターン

これも喜び勇んで帰還する人はいない。

帰還の前後には深い喪失感と、同時に再生の感覚があるはずだ。

つまりそれが物語が終わるということであり、人が大人になるということだ。

この設計図の特徴は、既にある物語を分析したロジックではなく、これから物語を書こうとするための地図を制作する試みだということだ。だからナラトロジーというよりは地図なのです。

ロジックをオートマチックに発動させると、天使が舞い降りる

現代小説のための設計図は、2つの相反するナラトロジーによって成立している。「隠された父の発見／隠された秘密の開示」のマップは前の項で紹介した。つづいて「書き出しの現象学」を紹介するが、こちらの方が上位に位置する。

【オートマチックに発動する書き出しの現象学】

まず、当たり前の話だが、小説を書いている最中に「設計図」「ナラトロジー」を意識する人はいない。主人公とともに怒ったり、涙を流したり、絶望の底で希望の光を探したりするのが作家という種族である。

全体について考えるのは、書き出す前——つまり発語以前と、疲れたので休憩してコーヒーを1杯飲んでいるような時だ。

作家が実際に原稿を書いている時には、もう1つの別の「ナラトロジー」がオートマチックに発動しているものだ。

このオートマチック、というところが重要なのだ。

それが、「隠された父の発見／隠された秘密の開示」とは正反対の、いわば対極にあるロジックで、僕はこれを「書き出しの現象学」という言葉で表現しているわけだ。

煩雑になるかもしれないが、大切なことなので復習しておこう。

小説というのは何を書いてもいい。

雑多な現実というものがあり、この現実には始まりも終わりもない。しかし小説には1行目というのがあるので、この現実のどこかに切れ目を入れてスタートする必要がある。どこからスタートするかにはもちろん細心の注意が必要で、「発語」する前に綿密に設計図を制作する必要がある。

それがプロットだ。

小説を書く前の「前提」「プレミス」という考え方があるが今回は話がややこしくなるので触れないでおく。

設計図、プロット、プレミス——なんでもいいが、とにかく発語する（1行目を書く）準備が整った。ここまでは極めて意識的な作業であるということができる。

しかし、最初の1行を書くと、2行目は1行目に拘束されることになる。

小説が持つこうした構造、「書き出しの現象学」を体得していることが「隠された父の発見／隠された秘密の開示」というメソッド——物語の魔法を使う前提条件となる。

「ナラトロジーについて学べば学ぶほど物語への理解は深まっても、実際に自分の小説を書こうとすると、前よりも書けなくなっていることに気がついて愕然とするんですよね」と言っていた人がいる。

その理由は「書き出しの現象学」というもう1つのロジックが身についていないからだ。小説を書いている途中でそいつがオートマチックに発動してくれないから、次を書くことができないのである。

これを身につけるためには、テニスのプレーヤーが何千回と素振りを繰り返すように、レッスンを重ねなければならない。

【小説を書くレッスンとは推敲すること】

小説を書く際のレッスンとは、簡単に言ってしまえば「推敲」することだ。

原稿はとにかく毎日書く。毎日が無理なら3日に1度とか、最悪1週間に1度とか、まとまった時間をとって原稿に向き合う習慣をつける。

なぜかというと、作品を書くという行為を体に覚えさせておかないと、せっかく前回までに書きためた原稿の内容、作品世界を流れる空気の感じ、自分が主人公のどういうエモーションを描こうとしていたのかというようなことを忘れてしまうからだ。

それを思い出すために、3時間かかってしまったりする。これではなかなか前に進まないので、自分なりに執筆のサイクルを決めることが必要なのだ。

話がそれるが、今夜の仕事を終える時、キリがいいところで止めてはいけない。たとえば1章が終わったからといって、そこでほっとしてビールを飲んではいけない。2章の冒頭の1行でもいいから書いておくこと。

すると翌日に原稿を書こうとした時、昨夜自分の頭の中にあったすべてのことが思い出されるに違いない。

そして今日の原稿を書く時、いきなり新しい部分に取り掛かるのではなく、昨夜書いた原稿を推敲するところから始める。それまでに気がつかなかった部屋の描写、主人公の感情の動きなどを丁寧に加筆していく。

句読点の打ち方や改行、1行空きに無頓着な人が多いが、これも推敲する際にきちんと訂正すること。主人公は時間をさかのぼることができないのだが、それを書いている作者は、何度でも過去に戻ることができるのだ。それが作者の特権で、この特権を十二分に行使することが大切だ。

つまりそれが小説を推敲するということであり、テニスのプレイヤーが何千回も素振りを繰り返すレッスンに相当する。

こんなふうに原稿を書く夜を重ねていくと、小説全体の構造、空気感（トーン）、主人公の感情がどの一点に向けてフォーカスしていくのかといったことがつかめるようになる。

それがつまり、「書き出しの現象学」というロジックがあたかも血液のように自然に作家の体を流れる状態を獲得するということだ。

1行目は、しつこく復習するが、何を書いても良い。それはあなたの自由である。1行目は作家にとっての芸術的な側面の表現なのだから、周りにとやかく言われる必要はない。

しかし1行目を書いてしまった後は、丹念に工学的な構築物を制作していくつもりで、その作品が持っている論理を決して裏切らないように書き進めなければならない。

そのようにして1章ができあがり、2章は1章に記された言葉のすべてに拘束されることになる。5章は4章までのすべての言語に拘束されることになる。

時折というかしばしば、2つの相反するナラトロジーがぶつかることがある。そんな時には、上位に位置する「書き出しの現象学」を優先してください。

そして作品を締めくくる最後の言葉は、作家が書くわけではないのだ。作品自身が最後の1行を決定するのである。

こうした作業を、ごく自然に息を吸い、それをゆっくり吐き出すような気持ちで毎夜重ねていくこと。するとあなたは気がつくと、小説を書くことが上手になっているはずだ。

【そして天使が舞い降りる】

新しい小説を書き始めて、10回の夜を経験したとしよう。毎晩何枚描書けるかによっても違うが、結構な枚数が書けているはずだ。5枚ずつ書いたとしても、あなたの目の前には50枚の原稿がある。

しかもそれは、「書き出しの現象学」に則って推敲された原稿である。

素晴らしい。

傑作になる予感がする。

しかしここで、時には頭を冷やす必要があるのだ。小説を書いている自分とは別の、もう1人の自分。編集者であったり、批評家であったり、読者であったりする自分が必要となる。

そのもう1人の自分が、冷めた目で客観的に、「隠された父の発見/隠された秘密の開示」と名付けた地図のどのあたりに主人公がいるのか、考えてみる必要がある。

冷静な目でそこまで書いた原稿を読み、地図で主人公の場所を確認し、書き落としていることがないか確認する。

それができたら、再び主人公に寄り添い、設計図や地図のことを忘れて、旅を続けてください。十分な訓練をつんでいれば、物語の主人公とあなたが一体化したとしても正しい物語のロジックが発動するはずである。

その繰り返しが、小説を書くということなのだ。

やがて誰かが、文学の女神か天使のような人が囁く声が聞こえるはずだ。

「物語はとうとう終わりの時を迎えました。最後の1行を書きなさい」

その最後の1行は、僕らが書くわけではない。妖精か女神か、鬼神か怪物か——いずれにせよ僕らの力を遥かに超えた何者かによって、それを書かされるのである。

頑張ってください。

これであなたは、1行目を書く準備が、すなわち発語する態勢が整ったはずである。

第2編

小説を構想する

課題 **【自分史】**

自分史のプロットを400字詰め原稿用紙10枚以内で書いてください。

課題 **【関係の絶対性】**

ドストエフスキーの『罪と罰』を読み（翻訳は誰のものでも可）、作品中の登場人物を2人選び、彼らの間にどんな「関係の絶対性」が発動しているか、400字詰め原稿用紙5枚で書いてください。

課題 **【英雄】**

神話における英雄の中から好きな存在を選び、その英雄とあなたの共通項についてのレジュメを400字詰め原稿用紙5～10枚で書いてください。

1章 小説と僕らの人生のプロット

ストーリーとプロットは違う

ストーリーとプロットについて書く。

大学の文芸学科の学生達も『「私」物語化計画』の会員の方々も、原稿を読むと軒並みプロット無視——というのは言い過ぎかもしれないが、複雑なストーリーを展開しているのにプロットが甘い作品が多く、僕としてはある種の危機感を覚える。

プロット作りは小説執筆に必要なものなのだ。

さらに、実生活のプロットを発見してほしい。

プロットとは何か？

ストーリーとプロットは違う。

プロットとエピソードも別のものだ。

時間の流れに沿って話が続いていくのがストーリーだ。一つひとつの話がエピソードである。そしてプロットとは、ストーリーを構成するエピソードを、論理的に関連づけて再構成した設計図だ。もっとも基本的なプロットの構造は、「起承転結」だろう。

物語の中で起きている「エピソード」を時間軸に沿って並べたものが「ストーリー」であるのに対して、その「エピソード」を再構成したものが「プロット」なのだ。

つまりプロットとエピソードは正反対のベクトルを持っている。

プロットとはいわば小説の工学的な側面、論理的な構造を成立させるための設計図だ。これが不十分だと、作品は単なるエピソードの羅列になってしまい、小説にならない。

・お妃が病気になった。
←
・王様は国中薬を探させた。
←
・薬は見つからず、お妃は亡くなった。
←
・悲しみのあまり王様は深酒するようになった。
←
・肝臓を悪くし、王様は亡くなった。

これがストーリーである。

プロットはこの反対だ。

・王様が亡くなった。
←
・深酒するようになり肝臓を悪くしたからだ。
←
・国中探した薬が見つからなかったからだ。
←
・病気になったお妃のための薬である。

これがプロットだ。

ストーリーを話すと聞いているほうは「それで?」と聞く。「それでどうなったの?」と聞くわけだ。プロットを説明すると「なんで? なんでそうなったの?」と聞く。

簡単に言ってしまえばプロットとは物語を作る時の設計図、構想のことです。物語の「あらすじ」「登場人物のキャラクター・メーキング」「関係性」「事件」、そして使用される重要な「小道具」などが含まれる。

物語の前提となる「欠落」、旅立ちを決定づける「橋守」、その後の「イニシエーション」、そして「隠された父の発見」などがプロットにおける重要なアイテムであると皆さんは既にご存知のはずだ。

こうしたものがゆるぎないワールドモデルの中で成立していなければならないのだ。したがってまず最初に明確なワールドモデルを構築しなければならないわけだ。

モラハラ男との恋愛

最終的に小説作品においても、僕らの人生にとっても、「世界観がプロットに含まれる」というところに辿り着きたいのだが、うまくいくかどうか。

プロットとストーリーの違いについては、イギリスの作家エドワード・モーガン・フォースターが1927年に発表した『小説の諸相』（みすず書房）での解説が有名だろう。

この本は、1927年にケンブリッジ大学でフォースターが行った講義をまとめた小論集で、古典作品を例に取り、ストーリー、登場人物、プロット、幻想、予言、パターン、リズムという小説における7つの普遍的な「諸相」を分析している。

もっと古くは、4世紀古代ギリシアの有名な哲学者アリストテレスが『詩学』の中で既にプロットについて述べている。「始め・中・終り」の3つに区分するのが基本的なプロットだと言っている。

本書は先を急ぐので、先行するそういう本があるということだけお伝えしておきます。学術論文みたいに書くのは僕らしくないしね。

こうした先行者の言説を――ダメだ、言説なんて硬すぎるよね？　大学教授はもう辞めたのだからもっとフランクに行かないと！

最低限の確認だけして、あとは脱線してしまおう。そして脱線こそが重要なのだということを再確認しよう。まずリマインドです。

「エピソード」→物語の中で起きていること。お話。
「ストーリー」→エピソードを時間軸に沿って並べたもの。
「プロット」→エピソードを因果関係をベースに再構成したもの。

小説を書く場合、多くの人がまずエピソードを思いつく。もちろん僕もそうです。これをつなげて、ストーリー化しようとする。するとプロットが置き去りになってしまい、リアリティが失われる。こういうパターンが非常に多い。

僕らの実際の人生についても同じことが言えるよな、とある時僕は気がつき、それが小説修行と自分探しの両方をカバーする『「私」物語化計画』を始めるきっかけにもなった。

プロットについて考えるのは、技術というよりはむしろ姿勢の問題なので、簡単な具体例に沿って説明しようと思う。

ここに30代の女性がいるとしよう。この女性のプロットを考えることにする。

彼女は20代で結婚し、子供が1人おり、しかし夫のモラルハラスメントに耐えきれず、離婚した。その後、別の男性と出会い、数年にわたる恋愛関係の末、再婚した。しかし気がつくとこの男性にもモラハラ的な言動が目立つようになり、別れることを決意した。今は小学生の子供を育てながらシングルマザーとして仕事をしている。

よくある話である。

ただしこれはまだ、エピソードを集めたストーリーだ。ここから、それが小説作品であろうと、実際の自分の人生であろうと、プロットを抽出しなければならないのだ。

ここで問題になるのは、この女性が、なぜ二度にわたりモラハラ男に惹かれたのかということだろう。ついていなかったとか、相手が悪かったとかで片付けてしまうと、エピソードはストーリーを織り成すだけでプロットを取り出せないのだ。

最初は優しく、強く見えた男。

しかし彼は独占欲が人並み以上で、恋愛関係が進行するにつれて彼女を拘束するようになる。自分は強い人間だと彼女に思わせ、「僕が君を守ってあげるから」という姿勢で彼女を自分のコントロール下に置こうとする。

初婚時も再婚時も同じタイプの男性だったのだ。

彼女はなぜ二度までも、そんな男に恋愛感情を持ってしまったのだろうか。それは実は彼女自身の内側に理由がある。

ここでナラトロジーを想起しなければならない。つまり「旅立ちの前提となる欠如」「ルビコン川を渡るために倒した弱い敵」、そして「隠された父」の存在だ。

何らかの理由で思春期の頃、彼女は父性に飢えていた。父親があまりにもワンマンだったり、ひどい場合はDVを働いたり、その反対で「父」を感じさせない弱々しい存在だったのかもしれない。それとも単に父は早世して不在であったのかもしれない。

いずれにせよ彼女が人格を形成する上で大切な、優しく力強く庇護してくれる、しかし時には厳しい「父」の存在が希薄だったのだろう。

無意識のうちに父の代わりになる存在を求め、2人のモラハラ男の罠に落ちてしまうことになったわけだ。それが基本的な因果関係、すなわち最初のプロットである。

彼女にとっての欠如とは「父性」だった。

最初に倒す弱い敵とは、多くの場合、母親である。おそらく「父の代わり」になる男性との恋愛を禁止され、親子喧嘩になったものと推察される。共依存の気配も感じられる。だが所詮、老いていく母親はか弱い存在に過ぎない。

そして「隠された父」とは、最初は優しく、しかしやがてモラハラ男に堕してしまった2人の恋愛相手なのではないだろうか。男のモラルハラスメントが露呈していくことが「隠された父の発見」なのだ。

これが、プロットというものである。

もちろん男の側にもプロットはある。

なぜ必要以上に強く彼女を支配しようとするのか。そこに至る因果関係、原因というものが存在するはずだ。

男はきっと才能があったり仕事ができたりするのだろう。そんな自分を精神的にも強く見せたがり、そのことによって、付き合っている彼女を支配下に置いておきたいと画策する。

「俺は強い人間で、お前のような弱い女は俺に頼らないと生きてはいけないのだ」という思想がモラハラとして発現することになる。

ということは、彼は本当は弱い存在なのだ。

自己というものに確信を持っている人は、男でも女でも、他者との関係で結果的に自分の領域が広がることには喜びを感じるはずだ。だから恋愛の相手を支配下に置いておきたいなどとは決して考えないだろう。

男女それぞれのプロットが交錯し、激しく火花を散らし、恋愛は燃え上がり、しかし残念ながら袋小路に追い詰められてしまったのだ。それが結果的に離別をもたらした。

これだけのプロットが明らかになるだけで、「私」という物語は骨組みを与えられ、ストーリーは深化し自分自身は癒しの感覚を得ることができる。そうすれば、未来への解決策もおぼろげながら見えてくる。

端的に言ってしまえば、もはや決して得られることのない「父性」を幻視するのではなく、彼女は自分自身の中にそいつを確立するしかないのだ――ということがわかるだろうと思う。そうとわかれば、そんなに大変なことではない。

次に問題になるのが世界観である。根源的な世界観は、小説作品なら純文学やエンターテインメント、ファンタジーやライトノベルといった枠組みのことであり、文体が持つトーンのようなものだ。

僕らの人生における世界観は、その人の人柄のようなものだろうと僕は考えている。

シリアスな人もいればユーモラスな人もいる。必死で頑張ろうとする人もいるし、のんきに生きていきたい人もいる。それこそが人生における世界観なのではないだろうか。

そして大切なことは、一度設定したこの世界観を逸脱してはならないということだ。アベレージの自分、オーディナリーな「私」をキープすることが大切なのだ。「あれ、私らしくないな?」と感じたらそんな恋愛には早くピリオドを打つことが必要だ。

冒頭に書いたが、プロットには世界観が含まれるのである。

たとえば彼女は深くロックを愛してきて、長くあるバンドのアルバムを聴き続けているとしよう。ロック。それこそが彼女の世界観である。そこを離脱してはいけないのだ。

シリアスな小説の中に、突然ファンタジー小説に登場するようなゴブリンが出てきたりするのが不自然なのと同じことだ。ロックという世界観はプロットと一体化しており、いやむしろプロットの前提になるのが世界観なのかもしれない。

世界観の設定。

それはとても大切なことなのだ。

2章 プロットについてさらに突っ込む

『桃太郎』の並べ替え

プロットとエピソードは正反対のベクトルを持っている――ということは前章で述べた。今回はその応用編です。

素材にするのは昔話の『桃太郎』で、プロットの話をさらに詳しくするために扱うことにした。

僕は大学のゼミで「短冊方式」というものを編み出し、学生たちを指導していたのだが、てっきり僕のオリジナルアイディアとだと思っていたこの方式は、実はとても一般的なものなのだと、先日、知り合いの編集者の方に教えてもらった。

この「短冊方式」とはどのようなものなのか?

物語を構成する「いつ、どこで、誰が、何をするのか?」というものがエピソードで、これを並べていくとストーリーができあがる。

しかし1つのエピソードの中に、いくつかの小さなエピソードがあったり、あるいはいくつかのエピソードが伏線として隠されていたりするというように、物語は複雑な構造を持っている。

これを整理するために僕が考え出したのが「短冊方式」である。

エピソードを時間軸に沿って並べたものがストーリーだが、小説を面白くするためにはエピソードをただ時間経過順に並べていけばいいというものではない。

冒頭に主人公が犯行に及ぶシーンを入れる方が、読者は引き込まれるかもしれない。ドストエフスキーの「罪と罰」はこのパターンだ。

推理小説であっても、最初に犯人を特定してしまうパターンもあり得るわけだ。

作者は、試行錯誤を繰り返し、どのエピソードをどこに配置するのが効果的なのか考えなければならない。

エピソードの配置の背後には、実はプロットという明確な設計図がなければいけない。

しかし多くの場合、作家はエピソードから思いつくので、最も重要な設計図が見えてこない場合がある。

これをなんとかしなければ、お話は小説になってくれないのだ。

こうした作業を創作ノートでやるわけだが、いろいろ考えているうちに自分でもよくわからなくなってくる。そこで登場するのが短冊、具体的には文房具店で売っている大きめの付箋、ポストイットである。

思いついたエピソードを付箋にメモする。エピソードになる以前の1シーンについての付箋もある。


激しく降る雨が海面を叩き、もはや水平線を見ることさえできない。

ということな、ただのアイディアも書き記す。

これをどんなふうに並べたらいいのか、テーブルの上に順番に並べていくわけだ。普通この作業は作家が1人で頭の中で行うわけだが、付箋を並べていくわけだから、複数の人間で相談しながらやることさえできる。教員が学生を指導するのにも便利な方式なのだ。

エピソードから付箋を使いプロットを抽出する実践を『桃太郎』でやってみよう。この昔話は日本人なら誰でも知っているだろうが、まずいくつかのパートに分けてみる。

①おじいさんが山に芝刈りに、おばあさんが川に洗濯に行くと川上から大きな桃が流れてきた。家に持ち帰った桃を包丁で切ろうとすると、中から元気な赤ん坊が誕生した。子供に恵まれなかった老夫婦は大喜び。桃太郎という名前をつけた。

②桃太郎はすくすく育ち、体格も頑丈で力持ち、とても優しい男の子に成長した。

③時折村を襲う鬼を退治にしに行くことを決意した桃太郎は、おじいさんとおばあさんにもらったきび団子を持ち、鬼退治に出かける。途中、犬、雉、猿がきび団子をもらい家来になる。

④鬼が島での鬼達との壮絶な戦いに勝利し、命乞いする鬼たちを許し、しかし財宝を持ち帰る。

⑤村に帰り、両親代わりのおじいさんとおばあさんと再会。村人に財宝分け与え、幸福に暮らす。

1から5までを順番に並べると、昔話の『桃太郎』になるわけだが、これをあなたは自分なりにアレンジし、現代小説にリライトしなければならない。

さて、どういう順番に並べますか？

僕ならたとえばこんな風に並べようかな。

3→2→1→4→5

この並び順だとこんな展開になる。

桃太郎は鬼が島に向かう船に乗っている。犬、猿、雉も緊張の面持ちで、決戦に備えている。ここまでが冒頭シーンの「3」。

大海原を眺めながら、桃太郎はおじいさんとおばあさんに育てられた幼少期を回想する。ここで、鬼を退治しなければならない桃太郎の強い動機を明らかにしなければならない。

それがプロットのコアになる。

残虐な鬼の集団に毎年のように村は襲われ、人身御供に若い娘を差し出し、村人は戦々恐々と暮らさなければならない。そんな恐怖にピリオドを打つために、桃太郎は鬼が島を目指したのだ――という具合です。

こんなふうに描くと、残虐な鬼の存在というものは、台風や日照つづきの天気など自然災害のメタファーにもなり得るだろう。

ここまでが「2」だ。

そして次に配置するのが「1」なのだが、回想シーンとして描かれることにより、「桃太郎が桃から生まれた」というのは必ずしも事実なのではないというアプローチが可能になる。

おじいさんやおばあさんには「お前は桃から生まれたのだ」と言い聞かされてきたが、まさかそんなことがあるはずはなく、自分の出生は謎に包まれている――という設定が可能になるわけだ。

「実は俺は鬼の血族で、それを知りながら老夫婦は育ててくれた。だからこそ彼らへの恩返しのために鬼を退治しなければならないのだ。たとえそれが父を討つことになったとしても」という構造にしてもいい。

出生の秘密は十分に「隠された父の発見」になり得るだろう。

そして「4」のバトルシーンだが、ここは必ずしも桃太郎が主人公でなくてもいいわけだ。家来の犬や猿や雉が、きび団子ごときで命をかけることになり「どんだけブラック企業なんだよ」と後悔しても良い。

この「4」のバトルシーンの展開の仕方によって結末部分の「5」は変わってくる。昔話のように、めでたしめでたしで終わらなくてもいいのである。

こんなふうにパートを並び替えてみると、僕らが新たに描く『桃太郎』にとって、桃太郎が鬼が島に鬼退治に出かける「動機」が最も重要なプロットのカギになるということがよくわかるだろう。

そこをおろそかにしてしまうと、昔話は昔話のままで、小説にはならないのだ。

『桃太郎』は有名な昔話なので、複数の作家が小説化を試みている。楠山正雄、芥川龍之介、石塚浩之などだ。

時間がある方はぜひお読みいただければと思うが、動機の部分だけ紹介しておきます。


もうそのじぶんには、日本の国中で、桃太郎ほど強いものはないようになりました。桃太郎はどこか外国へ出かけて、腕いっぱい、力だめしをしてみたくなりました。

「もう何年も何年も船をこいで行くと、遠い遠い海のはてに、鬼が島という所がある。悪い鬼どもが、いかめしいくろがねのお城の中に住んで、ほうぼうの国からかすめ取った貴い宝物を守っている。」と言いました。

桃太郎はこの話をきくと、その鬼が島へ行ってみたくって、もう居ても立ってもいられなくなりました。


（楠山正雄『桃太郎』）

桃から生れた桃太郎は鬼が島の征伐を思い立った。思い立った訣《わけ》はなぜかというと、彼はお爺さんやお婆さんのように、山だの川だの畑だのへ仕事に出るのがいやだったせいである。その話を聞いた老人夫婦は内心この腕白《わんぱく》ものに愛想をつかしていた時だったから、一刻も早く追い出したさに旗とか太刀とか陣羽織とか、出陣の支度に入用《にゅうよう》のものは云うなり次第に持たせることにした。のみならず途中の兵糧《ひょうろう》には、これも桃太郎の註文《ちゅうもん》通り、黍団子《きびだんご》さえこしらえてやったのである。

（芥川龍之介『桃太郎』）

――自分に期待しているのがあばら屋で待つ年老いた育ての親ばかりではなく、貧しい村人がなけなしの蓄えを出し合ってこの小舟を用意してくれたのだから、たとえいかなる困難があろうとも退屈な光景の先にあるはずの鬼ヶ島にたどり着き、未だ目にしたこともない鬼たちと戦い、なんとしても勝利し、金銀財宝を村に持ち帰らねばならぬという使命感ゆえなのだ。

（石塚浩之『桃太郎』）

動機が異なると、小説のワールドモデルが全く違ってくるということがよくわかるだろうと思う。

前章で書いた、世界観はプロットに含まれるというのは、そういう意味なのです。

それにしても芥川龍之介による『桃太郎』のバトルシーンは凄まじい。侵略者としての桃太郎と罪のない鬼という構造を貫いている。

「進め！　進め！　鬼という鬼は見つけ次第、一匹も残らず殺してしまえ！」

桃太郎は桃の旗を片手に、日の丸の扇を打ち振り打ち振り、犬猿雉の三匹に号令した。犬猿雉の三匹は仲の好《い》い家来ではなかったかも知れない。が、饑《う》えた動物ほど、忠勇無双の兵卒の資格を具えているものはないはずである。彼等は皆あらしのように、逃げまわる鬼を追いまわした。犬はただ一噛みに鬼の若者を噛み殺した。雉も鋭い嘴に鬼の子供を突き殺した。猿も――猿は我々人間と親類同志の間がらだけに、鬼の娘を絞殺《しめころ》す前に、必ず凌辱《りょうじょく》を恣《ほしいまま》にした。

（芥川龍之介『桃太郎』）

こうして昔話の並び替えをやってみると、エピソードの羅列からプロットを抽出するのがいかに大事か、ということがよくわかるだろうと思う。

僕らが友人から人生相談を受けたとしよう。

友人が話すのはエピソードの羅列だろうが、相談された側は目の前の相手が提示してくれたポストイットを並び替えることによりプロットを抽出し、世界の全体を立体的に見なければならないのだ。それがワールドモデルの設定につながる。

『電気ちゃん』（楠章子）が乗り超えたプロットの枠組み

小説におけるワールドモデル（世界観）とは何かということについて考えてみるために、楠章子の『電気ちゃん』の構造を分析してみようと思う。

この作品は現代小説である。児童文学が多い作者にとっては、むしろ珍しい作品なのかもしれない。児童文学はわかりやすいストーリーのように見えて、実は抽象度が高い。フィクションの度合いが深いという意味だ。『電気ちゃん』は現代小説なので、抽象度が低い分リアルである。リアルに書かなければならない、というのがこの小説のワールドモデルなのである。

物語世界の前提となる「欠落」を、可能なら具体的な物で最初に提示すべきである——と本書で僕は書いてきた。この作品の場合はどうだろうか。

冒頭部分を引用する。

葡萄の粒、全部ぬり終わらないままになってしまった。

（楠章子『電気ちゃん』毎日新聞社）

主人公の鳥子は、幼稚園の頃お絵描き教室に通っていた。赤と青の絵の具を混ぜて、パレットにはきれいな紫色が作られていた。だが耳の奥で重たい音が響き、葡萄の絵どころではなくなり教室を飛び出すのだ。

これが『電気ちゃん』の欠落を示すエピソードである。

色がぬられていない葡萄の絵。

具体的な事物で、作者は物語の前提となる「欠落」を表現している。欠落はこんなふうに示さなければならない、というお手本のような冒頭だ。

音は鳥子を支配し続け、両親は娘をいくつもの病院に連れて行くが原因はわからなかった。16歳の夏、鳥子は家出する。

こうしたシーンの背後に、読者である僕らは色が塗られていない葡萄の絵を無意識下に思い描いている。そういう効果を、1枚の絵という具体的な事物が実現している。

淋しいとか悲しいとか、腹立ちが収まらないとか、世界に対する違和感を抱いているとか、そんなことをいくら書き並べても1枚の絵の存在にはかなわない。

皆さんも、小説の冒頭近くで「物」によって欠落が表現できないかどうか、工夫してみてください。

次に、主人公が最初に倒す弱い敵、「橋守」とは何だろうか。これはシンプルに両親だろう。娘を心配してくれている両親を置き去りにして彼女は家出する。両親は弱い存在だが、彼らの愛情を裏切り家出してしまった以上、主人公はルビコン川を渡ってしまったのだ。

それが巧みにというか、高度な技法で表現されている箇所がある。

もう戻らないと決めた主人公が、今頃家ではいなくなった自分のことを話しているのだろうかと考えるシーンだ。

この小説は三人称なので、普通は娘のいない家庭で両親と姉が会話するシーンをリアルタイムで書けば良いのである。しかし、『電気ちゃん』はそうなってはいない。あくまでも家族がこんなふうに話しているのではないか、と主人公が想像する形で書かれている。

普通に読書をしている分には、多くの人はこの技法には気がつかないかもしれない。小説というものは、あくまでも読者に作品世界を自然に感じとってもらわなければならない。だから作家としては、小説上の技法に読者が気がつかないのはむしろ喜ばしいことなのである。

しかしこの作品を構造分析する上では、ここは落とせない箇所である。

主人公の想像の枠の中で家族の具体的な会話が続き、時制も現在形が多用される。しかしくどいようだが注意深く読むと、これはあくまでも主人公の想像なのだ。

なぜそんな技法が必要だったのだろうか。これはスピードの問題だろうと僕は思う。

主人公の想像の枠の中でこれらが1シーンとして描かれている――と読者は感じる。シーンが変わらないから小説のスピードが落ちず、その直後に鳥子はやがて電気ちゃんと呼ぶことになる30代後半の男と出会う。

スピード感があるからこそ、この出会いは鮮烈だ。そういう流れになっている。

この技術、構造を、本書の読者の皆さんも習得して頂きたいと僕は思う。

この後、鳥子と電気ちゃんの「イニシエーション」が続くことになる。

そしてこの物語における「隠された父の発見」とは何か。それは、バーテンダーとしての電気ちゃんの秘密が開示される箇所だろう。

ホステスをやっている美しい女が彼女だった――というのは表面的なことに過ぎない。もっと深い秘密が、彼にはある。

他の客がいないバーで、電気ちゃんは鳥子にいきなり暴力を振るう。殴りつけ、床に転がった彼女の体を蹴る。

暴力に取り憑かれ、一度熱くなってしまうと止まらないようだった。

（同）

これこそが電気ちゃん側の秘密の開示である。男の側のこうした理不尽な暴力衝動。いずれにしても闇は深い。

そんな具合に彼の側にもプロットがあるはずだが、『電気ちゃん』は短編小説なのでそれが詳細に明かされることはない。

鳥子はただ身体を丸くして耐えるしかないのだ。

この後、小説の結末部分近く、２人は初めて結ばれる。このシーンも楠章子らしく、リアルな現実とそうでないものとが交差する形でポリフォニックに描かれていく。

2人が初めてセックスする部屋にはジャニス・ジョプリンのサマータイムが流れている。少し長くなるが、一連の流れを切れないので、重要な箇所を丸ごと引用します。


かすれた声で歌うジャニスのサマータイムが流れている。

大事に閉ざされていた扉が開かれた。

「あっ」

声をもらした瞬間、鳥子の口から白い煙のようなものが出た。

煙のようなものは、まるで生きものみたいにくねくね部屋の中を漂っている。

「何やろ、あれ」

鳥子がつぶやくと、煙のようなものは細く開いた窓の隙間から逃げていった。


（同）


ここはいろいろな解釈が可能だろう。

もともと奇怪な音に悩まされていた少女が、ジャニスのハスキーな声に癒され、部屋に流れるジャニスの声に少女の「あっ」という声が重なり、その直後に白い煙のようなものが口から出て行ったのである。

煙のようなものとは、主人公の鳥子を悩ませていた奇怪な音、潜在意識下のもう1人の自分ということになるだろう。プロットに沿って考えればそういうことになる。

前述したように「リアルに書かなければならない」というのがこの小説のワールドモデルなのだとすれば、プロットとしてはそういうことになる。

だが、プロットに沿って合理的に解釈してしまい、謎が腑に落ちてしまうと、つまらない。

カフカの小説で描かれる恐怖は、ナチスドイツに対する恐怖のメタファーである、と解釈すると大事なものがすり抜けていってしまうのと同じことだ。

もう一度この小説のワールドモデルに注目してみよう。『電気ちゃん』は童話ではなく現代小説だ。そういうワールドモデルの上で描かれている。

不思議な妖精も鬼も、「まぼろしの薬売り」も登場しないというワールドモデルの中でこの作品は進行してきた。

だが最後の最後で、作者は果敢に「神秘」へのラインを踏み超えたのである。そこにこの小説の膨らみがあり、魅力がある。

一度決定したワールドモデルを自らぶち壊し、一歩を踏み出すことは、作家にとって大きなエネルギーと勇気を必要とする。

それをなし遂げたからこそ、『電気ちゃん』は読者にとって忘れられない小説になり得たのだ。書く側から言えば、このシーンを描きたいがために『電気ちゃん』の全体が構想されたのだ——といっても過言ではないだろう。

僕自身の小説のことを書けば、物語の主に後半で主人公がドラッグでハイになったりバッドトリップしたりするシーンを書くのは、自分が設定したワールドモデルをぶち壊すためである。

世界観すなわちワールドモデルはプロットに含まれる。それが正しい小説の構想のされ方だろう。しかし、時に、それを壊すことから文学的な可能性が花開くことがある。

小説とは、あるいは文学とは、そもそも神秘そのものなのではないか?

だからこそプロットに含まれるはずのワールドモデルが、プロットを超えていく瞬間がある。楠章子の『電気ちゃん』は、そんな稀有な作品の1つなのだと僕は思う。

しかし、誤解しないでいただきたいのだが、だからといってプロットを軽視してはいけません。プロットが精緻であればあるほど、それが揺らぐ瞬間、世界は全く新しい顔を僕らに見せてくれるのだから。

『ジジきみと歩いた』（宮下恵茉）は神話のように美しい

はじめに書き記しておいた方がいいと思うので書くが、初めてこの小説を読んだ時、僕は泣いた。

この原稿を書くために何度か繰り返し読んでいるのだが、やはり涙をこぼしそうになってしまう。

小説の「概要」を書く時、感動したとか好きな作品だとか泣いてしまったなんてことはどうでもいいので書かないように——と僕は常々言っているのに、大いなる矛盾である。

困った。

きっと宮下恵茉は、泣きながらこの小説を書いたのだろう。しかし豊かな感情を胸に抱えながら、冷静に作品の構造を意識していたに違いない。そうでなければ、1本の小説を完成させることなど不可能なのだから。

僕も冷静にこの小説を対象化し、構造を分析し、なぜこんなにも深い悲しみと希望をこの作家が書き得たのかを明らかにしなければならない。

『ジジきみと歩いた』という物語の前提となる「欠落」は、こんな表現で明確に示される。

もうレジぶくろなんて、いらないのに。

（宮下恵茉『ジジきみと歩いた』学研の新・創作シリーズ）

こういうとき、思い知るんだ。
もう、ジジはいないってことを。

（同）

レジぶくろとは、ジジを散歩させる時に必要だったものだ。だがそのジジはもういない。ジジの不在を「レジぶくろ」というありふれた「物」で表現している。繰り返すが、これはとても大事なことだ。

冒頭近くで同時に「禁止」についても触れられている。新しいマンションが建つたびに、小学4年生の少年たちはその敷地内にできる公園を楽しみにしているのに、どの公園にも必ず注意書きの看板が立てられるのである。

「この公園でのボール遊びを禁ず」　（同）

川が流れており、その河原で遊ぶことも禁止されている。しかし主人公たちは、禁止を犯してボール遊びに通うのである。

野球を簡単にしたボール遊びをする中で、少年たちは年老いた犬と出会う。やがて犬を自分たちで飼うことにする。これが「橋守」を倒してルビコン川を渡るエピソードに相当する。

野良犬を飼うことにする――それは取り立てて奇異なことではなく、ありふれたことに過ぎない。しかし一度犬を飼えば、その犬が死ぬまで愛情と手間を注がなければならないのである。少年にとってそれはまさに「ルビコン川を渡った」と表現するのが適当な事実だろう。

旅立ちを遂げた少年を待ち受けるイニシエーションでは、野良犬だったジジを散歩に連れて行ったり、脱走したジジを探し回ったり、獣医に連れて行ったり、仲間同士4人で世話をするはずだったのに2人が脱落してしまう、といったエピソードが重ねられていく。

主人公の翼の家は、父親が不在である。翼が1歳ぐらいの時に病気でなくなり、運送屋を営む祖父と母親との3人暮らしだ。

お父さんがいればいいのに、と翼は時々思う。それがこの小説における「隠された父の発見」と「秘密の開示」につながっていく。

物語の秘密は最初、友人の次のような一言で暗示される。

「そうなんだけどさ、母ちゃんが急に、デキスギといっしょじゃだめだっていうんだから、しょうがないじゃん。」
（同）

デキスギというのは翼の親友の来生《きすぎ》くんで、小ざっぱりした身なりをしている優等生だ。勉強ができるから、翼の祖父も母も彼を歓迎している。だが実は――この原稿は皆さんが既に『ジジきみと歩いた』を読んでいることを前提に書くので、未読の方はこの先を読まないでいただきたいのだが――デキスギの父親は仕事を失ってからアル中になり、粗末な家に住み、妻や息子に暴力を振るうような男なのである。

この人物設定が、『ジジきみと歩いた』の後半に大きなスケールを与えることを可能にしている。

親友の父親と対決することの中から、翼は荒々しい現実にぶつかることになる。

小学生の男の子が、酒によって暴力を振るう大人の男にどう対峙すればいいのか。ここは作家のエネルギーが試されるところだ。

自宅に戻って祖父に訴える、警察に届ける、逃げる。様々な展開が可能だが、この肝心の箇所は「外圧によって否応なく追い込まれる」形にしなければならない。

翼は、本心では逃げ出したいと思っているのである。それは小学生の自然な感情の動きだろう。しかし「外圧」によって「否応なく」背中を押されるのだ。

すなわち老いぼれた犬のジジが吠えるのだ。もはや逃げることも隠れることもできない。ジジに引きずられるように、翼は暴力を振るう大人の男と対峙することになる。

「くらあ、くそガキ。てめえ、なんのまねだ。うおっ?」

そう怒鳴られる。

男の向こうに体を小さく丸めた女の人と、来生くん(デキスギ)がいた。

男がジジの脇腹を蹴り、そのことが翼の内側のスイッチをオンにする。翼は友人とその母親の手を取り、「殺してやる」と喚く男を後に脱出するのである。

デキスギとその母親は、警察に紹介されたシェルターに避難することになる。その場所は誰にも教えることができない。したがって翼にもデキスギがどこにいるのかわからなくなってしまうのだ。

そういう中、ジジが死ぬ。

不謹慎な言い方かもしれないが、この展開は、神話のように美しい。

「宮下さんの書く小説はなぜあんなに悲しみが深いのでしょうか?」と大学のゼミ生に問われたことがある。

文章が巧みだから?

書き手に優しい眼差しがあるから？

もちろんそうだ。

しかしそれ以上に物語の構造がこの作家の身体に明瞭に組み込まれており、日常の些細な事柄が大きな構造の中で描かれているからこそ、悲しみが深いのである。つまり、プロットが小説に悲しみの陰影を与えている。

デビュー作を描いた頃の宮下さんはもしかしたらナラトロジーなんて意識してはいなかったのかもしれないが、作品の構造をこうして分析してみるとご覧のように、見事なまでにナラトロジーの構造をトレースしている。

大切なのは小説の構造、すなわちプロットなのだということを、皆さんにはぜひ理解してほしいと思う。

ワールドモデルについても書いておこう。『ジジきみと歩いた』は小川未明賞をとった宮下さんのデビュー作で、児童文学のカテゴリーに分類されるものだろうが、構造的にはリアリズムを前提にした現代文学だ。

翼が、すべてが終わった後、河原へ行く。すると草むらから黒い犬がひょこっと顔を出す。犬の向こう側から、今度は背の高い、がっちりした男の人が草をかき分けるように進んでくる。犬を呼んでいるようだ。

川が反射する太陽の光で、顔がよく見えない。男の人は、こっちを見ている。

どこかで見たことがある、と翼は考える。あれは僕のお父さんだ——と。

男の人とジジは向こう岸に消える。

物語の構造とは、基本的に彼岸と此岸の往還によって成立する。すなわち、死者の国と生者の国を行き来することで成立するのが物語なのである。

父親とジジは、彼岸へ還っていったのである。

翼は向こう岸に向かって、大きな声で叫ぶ。

「ぼく、もう、だいじょうぶだよ！」

この一言は宮下恵茉という作家がそのデビュー作で、世界そのものに向けて放った言葉でもあるだろう。

世界観すなわちワールドモデルはプロットに含まれる。それが正しい小説の構想のされ方だと僕は既に書いた。しかし時に、それを壊すことから文学的な可能性が花開くことがある、と。『ジジきみと歩いた』の構造的なダイナミズムが、まさにそこにある。

小学校４年の少年が主人公である。

日常の些細な出来事が描かれている。

犬との交流が描かれた児童文学である。

確かにそうだ。

しかしそういうことを超えて、この作品の枠組みはとても大きい。その大きさが悲しみの深さと、そこから見える希望の輝きを描くことを可能にしているのである。

もう1つ、どうしても書いておかなければならないことがある。それはこの作品のコアにあるのがイノセンスだということだ。

宮下恵茉はきらびやかな文章を書く作家である。その片鱗が、このデビュー作にもある。たとえばこういう箇所だ。


川の水面が、光を反射させて光っているのが草の間から見える。

つい数日、河原に来なかっただけなのに、いつのまにか草の緑は濃くなっていて、このあいだまで見かけなかった、白やピンクの花が風にゆれていた。


（同）


構造的な大きさ、きらびやかな文章、そのコアで息づくイノセンス。それがこの作家の大きな特徴だろうと僕は思っている。

やがて彼女は、純愛をテーマにしたシリーズを書くことで人気作家へとブレイクスルーしていったわけだが、それらのフラグメントのすべてが『ジジきみと歩いた』に既に存在している。

ところで、ストーリーも登場人物も作品の持ち味も全く異なるのに、作品の構造だけを見るとこの『ジジきみと歩いた』と『電気ちゃん』がとてもよく似ていることに気がつきませんか？　どちらも結末部分で「神秘」へのラインを踏み越えている。

　2つの作品は、同じ設計図で書かれていると言ってもいいくらいだ。

『電気ちゃん』にも、他の客がいないバーで男が主人公の鳥子にいきなり暴力を振るうシーンがあった。男は鳥子を殴りつけ、床に転がった彼女の体を蹴るのである。

　このシーンは、『ジジきみと歩いた』におけるデキスギくんの父親による暴力のシーンに対応している。

　僕はふと考える。誰もが癒しがたい傷を抱えて生きている。そして誰もがやがて死ぬ。どうせ死んでしまうのに、なぜこんなにも苦労して生きていかなければならないのか。ふとそう考えた時に、小説というものが生まれるのだろう。

「私」を物語化することの中から小説は生まれる。そして、僕らも世界に向かってメッセージを発信しなければならないのだ。

「ぼく、もう、だいじょうぶだよ！」

　小学生の男の子が言っているんだからな、と僕は思うのだ。大人の自分はもっとしっかりしなければ、と。

『日本一の商人　茜屋清兵衛奮闘記』（誉田龍一）のワールドモデル

誉田龍一の『日本一の商人 茜屋清兵衛奮闘記』は時代小説である。しかし同時に、これは現代小説なのだ。

たとえば同じ江戸時代を舞台にした小説が、明治時代に書かれ、大正時代に書かれ、昭和の時代に書かれ、そして今、誉田龍一によって新しい小説が書かれる。

同じ江戸時代を素材にしていようと、小説は時代の流れとともに革新されていくのだ。そういう意味において、『日本一の商人 茜屋清兵衛奮闘記』は現代小説なのである。

この作品は江戸時代を舞台にしているが、司馬遼太郎が描く明治維新物よりもはるかに「新しい」のだ。

多くの作家が多くの作品を書いたとしても、その時代やその人物が書き尽くされたということにはならないのである。

まず押さえておかなければならないのは、この小説のワールドモデルと、それによっておのずと決定されるキャラクター・メーキングである。

ワールドモデルは、江戸時代の堺の縮緬問屋とその周辺であり、主人公の清兵衛が潰れそうになった実家であるその店を立て直すために呼び戻されるところから物語は始まる。

父の左之助が放蕩の限りを尽くし、店の資金はおろか、今日の米まで買えない状況であり、店の番頭や手代も怠け放題。それを、まず店と前の通りを掃除することから立て直そうとする。

この枠組み、つまりワールドモデルとキャラクター・メーキングが決定された段階で、この作品はほぼできあがったも同然である。

この小説から皆さんに吸収してほしいのは、極めて精緻なプロットだ。

複数の伏線が絶妙のタイミングで拾われ、主人公の清兵衛は内面的な悩みや動機ではなく、外圧としてのプロットにつき動かされていくのである。誉田龍一は、それこそ丹念に反物を織るように小説を織っていく。エンターテインメント小説の醍醐味を、読者であるわれわれは堪能することができる。

そのダイナミズムはポストモダン小説の対極にあると言うべきだろう。

ポストモダン小説というのは純文学のカテゴリーに属し、「方法論が先行」し「意図的に時間軸を捻じ曲げる」パターンが多く、「僕らにはすでにオリジナルな感動など存在しない」といった地平で書かれる作品群だ。

僕自身にも『クロアシカ・バーの悲劇』というポストモダン的な作品集があるので悪口を言える立場ではないのだが、小説というものが力を失っていったのは、ポストモダンが純文学系の雑誌のメインストリームになっていった後ではないだろうか。多少なりともポストモダン的なフレイバーを持っていないと、純文学系雑誌の新人賞で最終候補に残るのは難しくなっている。

たとえばカフカが描いた得体の知れない不安、カミュが描いた不条理が現代文学の出発点で、やがてそれがポストモダンとして定着していったのだろうと思う。

水の中に手を入れる――すると中に包丁があって、手を切ってしまう。そんな不気味さをポストモダン小説は持っている。

なぜか？

それは僕らが生きる「現代」が、そのような不気味さを抱え持っているからだ。

恋愛小説なら、性愛を含め、何重にも入り組んだ複雑な世界を描かなければリアリティがない。犯罪小説にしてもそのコアにある「動機」はかつてのようにシンプルではなく、ともすれば陰惨な人間の内面に踏み込まなければいけない。

思うに、誉田龍一さんはそんな不気味な世界のことは最初から書きたくなかったのだ。

日の本一の「江戸店持、京商人」を夢見て大坂の大店に修行に出た清兵衛。だが急遽、実家に呼び戻されたことから、彼の悲劇が始まる——その悲劇の爽やかさと言ったらどうだ！

冒頭、主人公を迎えるのは初対面の妹だ。父親が愛人に産ませた少女である。これも現代が舞台だと檀一雄『火宅の人』のようになってしまうだろうが、この作品では兄妹の関係が極めて陽気に、ポジティブに、ユーモラスに描かれている。

結末近くでは主人公と幼なじみの少女との恋愛が描かれているが、その初々しさ、美しさは、江戸時代を舞台にしなければ書けなかったということだろう。

まず、何を書きたいかが先なのだ。プロットやストーリーはその後で、いわば自動的にできあがってくるものなのだ。

『日本一の商人 茜屋清兵衛奮闘記』という小説と誉田龍一という作家の関係を見ると、このことがよくわかるだろうと思う。彼は、別に時代小説でなくてもよかったのかもしれない。ただ自分が書きたいことを最も正確に表現できる容器として「時代小説」を選んだのだろう。

それは成功したと言うべきだ。

作品の構造を分析しよう。

物語の前提となる「欠落」は、店の帳場に置かれた1両にも満たない金しか入っていない金箱の存在である。清兵衛はそれを見て唖然とする。「欠落」を具体的なものとして提示しており、見事だ。

楠章子『電気ちゃん』の「色がぬられていない葡萄の絵」、宮下恵茉『ジジきみと歩いた』の「レジぶくろ」に相当するのが、この小説では「一両にも満たない金しか入っていない金箱」である。

主人公が旅立つための倒すべき「橋守」は、放蕩を重ねた父親から店を継ぐという事実だ。

やがて続くイニシエーションは、つぶれそうな店の立て直しにまつわる複数のエピソードである。

そして特徴的なのは「隠された父の発見」「秘密の開示」という物語のコアの設定だろう。

『電気ちゃん』でも『ジジきみと歩いた』でも、男による暴力と、なぜ「彼」が暴力衝動を抑えられないのかということが「秘密の開示」に相当した。つまり作品の秘密は、登場人物の内面の奥深くに潜んでいたのである。

ところが『日本一の商人 茜屋清兵衛奮闘記』にはそんな内面的な秘密など一切登場しない。

この作品には最初からずっと父親が登場するが、彼の放蕩の数々は息子によって許されており、およそ「隠された父の発見」などというものではない。

この作品のコアになる「秘密の開示」とは内面的あるいは精神的なものではなく、借金の担保とした家宝の「若月」という骨董が本物か贋作かという事実なのである。

本当によくできた、練り上げられたプロットで、「若月」が人々を翻弄していく。

エンターテインメント小説家を志す皆さんは「若月」をめぐる構造を丁寧に分析するといいと思う。

それからもう1つどうしても触れておきたいことがあるのだが、主人公の清兵衛は仏壇の祖父と普通に会話する。『電気ちゃん』にも『ジジきみと歩いた』にも神秘的なシーンがあり、時代小説でありながら『日本一の商人 茜屋清兵衛奮闘記』が新しいと思わせる大きな要因が仏壇の祖父との会話なのだろうと僕は思う。

新しいといえば会話も新しい。


清兵衛は首を捻った。

「俺はお父ちゃん、まるで、信用していない」

「それはわても同じです。ただ……たまにええこと言いまんねん。十二年に一遍くらい」

「ひとまわりしてるがな」

「ええ、そろそろかなと思うて……」


（誉田龍一『日本一の商人 茜屋清兵衛奮闘記』角川文庫）

レイモンド・チャンドラーのハードボイルド小説のようではないか。こういう部分で、時代小説も新しくなっていくのである。

最後に僕自身にとっての時代小説について、余計なことながら書いておこうと思う。

僕はエッセイにも批評にも時代小説のことを書いたことはないし、もちろん自分で時代小説を書いたことも一度もない。だが、実はかなり熱心な時代小説のファンである。

司馬遼太郎、池波正太郎、藤沢周平のほぼ全作品を読んだ。池波正太郎の『鬼平犯科帳』は135作すべてを、3回ずつ読んだ。

時代小説を読む――こんなに楽しいことは他にはあまりない。思うに、癒しの感覚があるからではないだろうか。

水の中に手を入れると中に包丁があって、手を切ってしまう、というような心配をしないですむ。

これからは新しい時代小説、誉田龍一作品を読む楽しみが増えた――と思っていたのだが、2020年3月9日、誉田さんは心不全のため死去された。享年、57歳。なんという若さだろうか。突然のことに、僕はうろたえた。

物語化計画の仲間の1人でもあった誉田さんの、ご冥福をお祈りします。

3章 小説作りの魔法の概念「関係の絶対性」

「私」なんてものは存在しない

小説の設計図がプロットで、プロットを書くために必要な概念が「関係の絶対性」である。

あなたが絶海の孤島で生まれ、1人で育ったと仮定しよう。あなたは母語も父語も学べなかったので、つまり言葉を習得できなかったので「私」を形成することができていない状況である。

母語と父語と表現の言語については第3編3章「太宰治『メリイクリスマス』の構造分析」で触れるので、気になる人は先に読んでみてください。

島でたった1人——という仮定はよくある荒唐無稽な思考実験だが、この実験から僕らが取り出せることは2つある。1つは、人間は言語によって「私」を形成するのだということ。もう1つは、母なり父なり友人なり、誰か他の人間がいなければ「私」は存在しないということだ。

別のたとえ話をしよう。

あなたが3人の異性と同時に交際しているという、あまりにも幸福で、だが同時にあまりにも悲惨な状況下にあるというたとえ話だ。

あなたは女性で、ABC3人の男性と時折デートしている。

Aは優しい男で、彼が怒ったところを見たことがない。どんな無理難題をふっかけても、受け入れてくれる。あなたは彼の紳士性に感謝しながらも、時々は苛々し、つい居丈高な態度で接してしまう。相手が待ち合わせに10分でも遅れようものなら、「今度遅れたら承知しないからね」などと言う。

Bは才能豊かな男だが乱暴なところがあり、孤独を感じさせ、投げやりな態度であなたに接してくる。このまま別れても俺は別に構わないよ、という態度である。彼を引き止めたいあなたは、懇願し泣いてすがる弱い女になってしまう。

Cは学生時代のクラスメートで、ノートを貸したり借りたりした間柄である。お金も地位も見栄もなかった頃のお互いを知り尽くしている。今は恋人同士の関係だが、友情の延長のようなフランクな間柄だ。彼の遅刻を罵ったり、彼に泣いてすがったりなんてことは多分今後もないだろう。

3人の男の前で別の自分になってしまう「私」にあなたは時々戸惑う。

私って、三重人格？

そうではないのだ。

あなたとAとの関係、あなたとBとの関係、あなたとCとの関係があなたにとっての「私」を決定しているのである。相手にとっても事情は同じだ。

キャラクター・メーキングの難しさは、実はここにあるのだろうと僕は思っている。しかし同時に、ここに注目すればプロット作りは容易になるはずだ。

長年慣れ親しんだはずで、今や確かに見える「私」とは、じつは不確かなものに過ぎない。誰かとの関係があなたを作っている。誰かとの関係の方があなたという存在に先行するのだ。関係性こそが絶対なのだ。

極端な言い方かもしれないが「私」なんてものは存在しないのである。誰かとの関係があるだけなのだ。まずそれを思い知ることから、新しい小説は構想されなければならない。

そして「自分探しの旅」とは、成長の過程における他者との関係を検証していくことに他ならないのである。

アメリカの文化人類学者のクリフォード・ギアツも、モロッコのバザール（市場）の調査をして、正直な人間、公正な人間、信頼できる人間など存在しないことを発見したと言っている。私と彼との関係は正直だとか、私と彼女との関係は公正だと考えるべきだというわけだ。

この時、「正直」とか「公正」「信頼できる」という述語は人間にではなく関係につけなければならない。「あの人は正直だ」ではなく「彼と僕の関係は正直だ」と言わなければならないのだ。

バザールでの商取引はごく短時間で終わる。それはこの取引の背後に、何十年にもわたる彼らの信頼できる関係性があるからなのだ。

いつか「素敵な人」に出会えると夢想してマッチングアプリを使うのは無駄なことだ。「素敵な人」など存在しない。相手と自分の「素敵な関係」を目指すしかない。

今の日本の状況が危機的なのは、人間同士の関係性があまりにも希薄になり歪《いびつ》になってしまっているからだ。

――こうした考え方を「関係の絶対性」と呼ぶことにしよう。

小説を書く時、いろいろな手順がある。たとえばこんな順番がある。

・ワールドモデルの設定（時代設定や作品のカテゴリー選択）
↓
・キャラクター・メーキング（登場人物の特徴や性格の決定）
↓
・プロットの構築（話の筋書きや因果関係）

ワールドモデルの設定までは作者の自由だが、それ以降が厄介である。キャラを設定しつつ、ストーリーの因果関係になるプロットを作っていかなければならない。その時に有効なのが「関係の絶対性」という魔法の概念なのである。

「関係の絶対性」は小説作りの手順すべてのバックグラウンドで発動している概念である。

小説を構想するこれらの手順は自分のやりやすいように変更することも可能だし、行ったり来たりするのも可。さらに同時に進行する場合もあるだろう。「関係の絶対性」というのは、これらの手順（工程）すべてに架橋する概念であり、キャラクター・メーキングという1工程の中に収まっているわけではない。

コンピュータにたとえるなら、「関係の絶対性」はすべてのアプリのベースにあるOSのようなものなのだ。

これから書く長い小説の主人公について考えるキャラクター・メーキングは楽しく、しかし同時に難しい。年齢や性別、趣味、何よりも主人公が世界というものにどんな風に関わっていくのかを考えなければならない。

そんな時、僕らは往々にして間違いを犯す。

まだ見ぬ主人公であるから、輪郭が曖昧なままだ。その曖昧な輪郭をくっきりと描こうとするがあまり、キャラクターを固定化してしまいがちなのだ。しかし「関係の絶対性」というOSの上で走っているのが個々の小説というアプリケーションなのだから、キャラクターを固定してはならないのである。

『機動戦士ガンダム』の優れているところは、アムロもシャアも完全な善でも完全な悪でもないところで、ここにも「関係の絶対性」が発動している。『罪と罰』のラスコーリニコフはソーニャやマルメラードフをはじめとする他の登場人物との関係の中で変貌していき、それがストーリーになっていく。

僕が今ハマっているFGO（Fate/Grand Order）というSNSゲームにしてもそうだが、面白いロールプレイングゲームのキャラクターは、「えーっ、マジで？　こんな奴だったの？」というどんでん返しがあるものだ。それを支えるのが「関係の絶対性」なのだ。

ゲームのキャラクターも、誰かとの関係性を前提に、否応なく「実は復讐に燃えていた」とか「こんなイノセンスを胸に秘めていた」という場所に追い込まれていくのである。もともと復讐者だったとか、イノセントな女なんだよね、という設定ではプレイヤーは感動しないだろう。たとえば「教師を平気で殴る札付きの不良」というキャラクターを考える場合、その前に「暴力を振るう父親と殴られる息子」という関係があり、後者は小説作りの工程としてはプロットの領域にも多分に関わってくる。

プロットを構想する場合にキャラクター・メーキングは不可欠だが、同時にキャラクター・メーキングの前にプロットをもう一度見直さなければならないのである。キャラクターに関わるプロット上の要素として人間関係があるからだ。

小説のキャラクターばかりか僕ら全員が「関係の絶対性」という魔法の中で生きているのである。

3人の男と恋愛する女の人の例を引くまでもなく、人間とは実は重層的な存在だ。したがってキャラクター・メーキングの際、主人公1人を構築すれば良いのではない。彼ないし彼女がどんな人々と関係を切り結ぶのかを考えなければならない。

僕らは複数の登場人物達の関係性を前提にキャラクター・メーキングすることの重要性に気がつかなければならないのだ。すなわち、関係の絶対性こそが重要なのである。

そんなふうに構想された複数のキャラクターの書き分けが、あなたが書く物語の重層構造を支えるだろう。

さらに、もう1つ厄介なことがある。小説とは時間軸に沿って流れる芸術だから、1章と3章では、同じ2人の登場人物の関係性も変化しているはずだということだ。

なぜ変化したのか。

それを書くのがプロットに他ならないわけだ。

人間同士の関係性を考える上で、家族の問題はとても大きいだろう。もう1つ、愛と共依存の問題もとても大きい。プロットを考えながら、小説の内容そのものに関わる家族の問題と共依存、人間にとっての幸福とは何かについても考えなければならないのである。

キャラクター・メーキングについてはもっと詳細に書かなければならないのだが、紙数の都合があるので、別の機会に譲ります。

吉本隆明『マチウ書試論』における「関係の絶対性」

この項目は本編には関係のない話なので、忙しい方は読まなくてもいいです。

ただ僕が個人的に今回どうしても触れておかなければならないと思っていることがある。それは「関係の絶対性」という言葉そのものについてだ。時間のある方は、少しお付き合いいただきたい。

「関係の絶対性」という言葉は吉本隆明が『マチウ書試論』で使った言葉なのだが、僕が意図する意味は吉本の言わんとしたこととは全く異なる。それで、実は困った。同じ言葉を使っていいものか悩んだのだ。

そのままでいると夜が明けてしまいそうだった。「関係の先行性」という言葉も考えたのだが、さすがに詩人だった吉本隆明だけあって「関係の絶対性」のインパクトは強力だ。先行性では遠く及ばない。

うーん、どうしたらいいかね——というわけである。

吉本隆明はマルクス主義的な「革命」の可能性にこだわった人で、小林秀雄、江藤淳、秋山駿と共に僕が強い影響を受けた批評家（思想家）である。

人間は、狡猾に秩序をぬってあるきながら、革命思想を信ずることもできるし、貧困と不合理な立法をまもることを強いられながら、革命思想を嫌悪することもできる。自由な意志は選択するからだ。しかし、人間の情況を決定するのは関係の絶対性だけである。

（吉本隆明『マチウ書試論』講談社文芸文庫）

あまりにも有名な1節である。

今振り返ると、吉本隆明の文章は悪文だと思う。こんなことを書くと怒る人もいるだろうと思うが、吉本の本が難解なのは彼の書く文章が悪文であるという要素も見逃せないのではないか。

たとえば「自由な意志は選択するからだ」も、「意志」が「選択」するというのが主語と述語だが、本来的には「自由な意志を持った人間は選択するからだ」とすべきだろう。

しかし、もちろんここは「自由な意志は選択するからだ」の方がカッコいいわけで、こんな風に書くのは吉本隆明が詩人として出発したからだろう。「ぬってあるきながら」をひらがな表記にするのも読者にはわかりにくいが、吉本独特の美意識が働いているのだろうと思う。

それもまた詩人としてのアイデンティティがなせる技なのだ。

そもそも『マチウ書試論』の「マチウ書」とは「マタイ伝」のことだ。つまり『マチウ書試論』とは、『マタイ伝試論』という意味で、吉本はこの本でイエスをジェジュ、ヨハネをジャンと呼んでいる。フランス語読みだそうだが、詩人のペダンチズムだと言えなくもない。

引用した『マチウ書試論』のこの1節は、「人間は革命やキリスト教など、どんなに高い理想を抱いていても、世俗的な生活の中では、その置かれた立場に応じた行動をとるしかないのだ」というような意味で、それが吉本隆明の言う「関係の絶対性」である。

人はその世俗的・社会的立場、すなわち「関係の絶対性」から完全に自由になることはできない。吉本隆明は、「関係の絶対性」はあらゆる思想にとっての課題であるが、これを解決できた思想は原始キリスト教も含めて存在しなかったと言っている。

「関係の絶対性」という言葉から出発した吉本隆明は、その後「共同幻想」や「対幻想」、そして「重層的な非決定」「空虚としての主題」「マス・イメージ」などの概念を生み出し、僕ら後に続く世代を虜にしていった。そのどれもが詩的な言語で表現されていた。

僕は今思うのだ。

吉本隆明とは思想家である以前に詩人だったのだ、と。

晩年、理科系出身だった吉本隆明は原子力発電を肯定するロジックを展開し、だから僕は彼が亡くなった時「さようなら、吉本隆明」という彼の言説を批判するエッセイをブログに書き、これはその後一波乱あった。だがそれを書くことが、僕には必要だった。

あれから年月が流れ、僕の考え方は変わってはいないが、詩的な言葉はいつまでも残るのだなと思うようになった。

——僕が真実を口にすると　ほとんど全世界を凍らせるだらうという妄想によつて　僕は廃人であるさうだ

（吉本隆明「廃人の歌」『吉本隆明全著作集1』勁草書房所収）

今後も本書で「関係の絶対性」について触れることがあるだろうと思う。その時は『マチウ書試論』ではなく、「3人の男と恋愛する女」「教師を平気で殴る札付きの不良」、あるいはクリフォード・ギアツの「正直な人間などいない」のことを思い出してください。

4章 物語論（ナラトロジー）から学ぶ

「助言者」を設定できるとあなたの小説は2割増しで輝く

この段階でどうしても触れておかなければならない事柄がある。

それは「助言者」である。

これは物語論（ナラトロジー）の用語だ。復習しておこう。ナラトロジーというのは、物語や語りの技術と構造について研究する学問のことだ。

物語論は、ロシア・フォルマリズムに始まり、やがて構造主義に昇華されていった。ストーリーを味わうというよりは内容の類型に関心を向ける研究だ。表現、つまり「言説」の形式・構造に関心を向ける研究なのだ。

もっとも、その歴史は20世紀よりずっと古く、アリストテレスの『詩学』やプラトンの『国家』にまで遡るという説もある。

有名なのは最初に物語論を提唱したロシアのウラジミール・プロップ、僕が若い頃から好きだったフランスのロラン・バルト、映画監督のジョージ・ルーカスの先生としても有名なジョーゼフ・キャンベルなどだ。

これらの研究は、１９７０年代にジェラール・ジュネットが完成したとされ、その後は構造主義の没落とともに衰退していったと考えても差し支えないだろう。

ま、乱暴に言ってしまえば研究することがなくなってしまったのだろう。

手っ取り早くナラトロジーを知りたいという方にお勧めなのは、『ナラトロジー入門―プロップからジュネットまでの物語論』（橋本陽介／水声社）という本だ。簡潔でわかりやすい。著者は僕より30歳ぐらい若く、中国文学が専門の研究者です。

ただし、物語論はすでにあるテキストを分析して研究したものであり、さまざまなバリエーションが存在する方言みたいなものだ。それらはもちろん小説を書く上で参考にはなるが、小説執筆のための入門書そのものではない。

仕事柄僕はたくさんの物語論の本を読んだが、読めば読むほど混乱してくる。だから都合の良いメソッドだけを取り出し、本書を書いてきたのである。

この原稿を書くために、山のように積み上げた書物をひっくり返しているのだが、どこで読んだのかどうしても見つからない。なので、多くの物語論の本を読んだ上で、さらに実作の経験上重要だと思った「助言者」という概念について僕なりの考えをお伝えしたいと思う。

ごくシンプルな小説のストーリーを考えてみよう。

男が女と出会う。物語は「欠落」が前提なので、この主人公の男は長い間過酷な孤独を抱えていた――というような設定にしなければならない。

胸の中のジグソーパズルが、彼女と出会うことによって、ようやく完成した。彼女こそが最後のピースだったのだ――という恋愛がスタートする。

しかし、登場人物が2人だけでは、ストーリーを展開させることは難しい。最低でも3人いないと、小説的な力学を発動させることができないのだ。

人間が3人登場すると政治が発動し、「悪」というものも生まれる。「悪」こそはストーリーを展開させるエンジンなのだ。

彼女は申し分のない女性だが、その挙動から背後に男の影を感じざるを得ない。かなり年上の男のようだ。だが主人公は、彼女にそのことを問うことができない。

ある夜、主人公はついに恋人を尾行することにする。人気のないビル街で、しかし彼女の後ろ姿を見失ってしまった。

たまたま通りかかった年配の女性に、

「ベージュのコートを着た女性を見ませんでしたか」と尋ねると、

「そこのビルに入っていきましたよ」と言われた。

この「年配の女性」が助言者である。

主人公がひと言お礼を言って、ビルに入って行き、その後小説にはこの女性が登場しない場合もあるだろう。だがもしも立ち去ろうとする主人公に、女性が「あなたもあの会合に行くんですか。私も行くのでぜひご一緒に」と答えたとしよう。この助言者はさらに深く物語に参加していくことになるだろう。

ビルの地下の一室で、宗教的な儀式が行われている。30人ほどの人々が、簡素な祭壇に向かって祈りを捧げている。そっと窺うと、主人公の恋人もやがて酩酊状態に陥っていく。

後日その「年配の女性」に、年老いた教祖は恋人の父親であり、不治の病を患っており、収入のない彼を彼女が養っているのだ——という事実を知らされる。

こういう展開になると「年配の女性」は物語に組み込まれた本格的な助言者として機能することになる。

そんな具合に、通りすがりに出会った人物から、もっと深いレベルで物語に参加してくる人物まで、「助言者」のレベルは様々だ。しかし助言者が存在することで、ストーリーは大きく展開するのである。

助言者は、意外な人物でなければならない。

異形の者や、妖精のような存在である場合が多い。

ジョージ・ルーカスが大学時代の先生であるジョーゼフ・キャンベルのアドバイスに従い『スター・ウォーズ』を撮ったことは有名だが、あの映画における助言者はヨーダである。ヨーダは助言者として、若きルーク・スカイウォーカーを導いていく。

ただし、主人公のルークに父親の秘密を打ち明けるのはダース・ベイダー本人だった。

『ジェダイの帰還』の終盤、ダース・ベイダーとルーク・スカイウォーカーとの戦いに決着が付き、ダース・ベイダーの口から真実が告げられる。

「私がお前の父親だ」

まさに隠された父の発見である。

『スター・ウォーズ』の成功の後、ハリウッド映画では「悪役が実はヒーローの父親だった」というコンセプトの映画が量産されることになった。

この頃、とりわけ若い人達の間で「メンター」という言葉がよく使われる。

メンターとはビジネス用語で、指導者、助言者という意味だ。メンター制度というものがあり、企業において新入社員などの精神的なサポートをするために、専任の指導者をもうける制度のことである。

メンターは、キャリア形成をはじめ生活上のさまざまな悩み相談を受けながら、当該社員の育成にあたる。

僕が大学を退職する時、或る女子学生に、

「これからも私のメンターでいてください」と言われた。

「いやいや、無理。俺はそういう柄じゃないから」と僕は答えたのだった。

このメンターを小説世界における「助言者」に設定するのも1つの有効な方法だろう。

理想的な展開は、主人公がストーリーの中盤以降「助言者」に「隠された父の発見」あるいは「隠された秘密の開示」をめぐるアドバイスをもらうことだ。

助言者はユングの原型で言う「老賢人（オールドワイズマン）」のような存在でもいい。もちろん助言者が「悪」を体現していたって構わないわけだ。

夏目漱石の『こころ』は、今で言うメンターのような存在だと思っていた先生が、実は過去の三角関係とその結果自殺した友人について思い悩んでおり、主人公に遺書を託し自殺していく様を描いた小説である。

小説の数だけ、魅力的な助言者のバリエーションが存在するのだ。少なくとも中編以上の長さを持つ作品には、助言者の存在が必要不可欠だ。

反対に考えると、今あなたが書いている作品に明確な助言者が存在しないのであれば、早急にそいつを設定すべきだ。ごく自然に、ストーリーが展開していくはずである。

あなたの実際の人生にも「助言者」は存在したはずだし、今も誰かが「助言者」の役割を果たしてくれているはずだ。

たった1人の存在がずっと導いてくれていた場合もあるだろうし、人生のポイントでそれぞれの「助言者」が存在していたのかもしれない。

その「助言者」はまさにメンターのような人格者だったかもしれないし、あるいは若き日の恋愛相手で、今ではもう思い出したくもないろくでなしが実は「助言者」の役割を担っていてくれたのかもしれない。

誰が自分の「助言者」で、どんなメッセージをくれていたのかを思い出してみよう。

するとその時にあなたが置かれていた座標軸と、当時の新鮮な感情が思い出されるはずだ。それはきっと人生にとって、最も大切なものなのではないだろうか。

あなたは『不思議の国のアリス』と『シンデレラ』のどちらが好きですか？

2つの童話を比較しながら、物語の構造について考えてみたい。扱うのは『不思議の国のアリス』と『シンデレラ』である。あなたはどちらが好きですか？

どちらもあまりにも有名な作品で、知らない人はいないだろう。ただし、ディズニーの映画が作られてからは、世界中でこの2つの童話はほとんどディズニー作品とイコールになってしまった。いわゆる、デファクトスタンダード（既成の事実）というやつだ。『くまのプーさん』もそうだ。

困ったことだが、僕1人が抵抗したところでどうにもならないので、ストーリーそのものはいっそのことディズニー版に依拠することにしようか？

いやいや、ディズニーだけでは情けないので、原作のアウトラインだけでも紹介しておきます。

『不思議の国のアリス』（Alice's Adventures in Wonderland）は、イギリスの数学者チャールズ・ラトウィッジ・ドジソンが、幼い少女であったアリス・リデルのために話して聞かせた物語がもとになっている。アリスの父親はヘンリー・リデルと言い、リデルの一家は何年ものあいだドジソンと親しく交流した。とりわけ3姉妹、ロリーナ、アリス、イーディスと親しく付き合い、リデル3姉妹を連れてのボート遊びは、一種の習慣となっていた。

ドジソンは生来の吃音に苦しんでおり、だが子供たちと話す時には普通に話せた——という話がある。これは一種の神話である。アリスを含めた少女たちの写真を千枚以上撮影した。これにはヌードも含まれていた。

それは彼にとって汚れなき少女が神にも等しい存在だったからだと考える人もいるし、単に小児性愛者だったと見る人たちも存在する。これもまた、今ではアリスを巡る神話の1つである。

ドジソンはリデル3姉妹とピクニックに行く途中、アリスの物語を思いつき、これを子供たちに語って聞かせた。アリス・リデルに文章にしてほしいとせがまれ、ドジソンは第2回ロンドン万国博覧会見物のために乗った列車内で執筆する。

書き上げられた物語に手書きの挿絵を添え、《親愛なる子へのクリスマスプレゼントとして、夏の日の思い出に贈る》との献辞と共にこの本を贈ったのである。この本のタイトルは『地下の国のアリス』だった。

それを読んだ友人たちの間で評判になり、やがてルイス・キャロルのペンネームで出版することになった。1865年のことである。

続編に『鏡の国のアリス』がある。

アリスが白ウサギを追いかけて不思議の国に迷い込み、しゃべる動物やトランプの女王や兵隊など、不可思議な存在と出会いながら冒険するお話だ。

LSDでもやってるんじゃないの、というぐらいぶっ飛んだストーリーだが、この作品は結果的に、19世紀半ばのイギリスの教訓主義から、児童文学を解放したのである。

作中に挿入されている詩や童謡の多くは当時よく知られていた教訓詩や流行歌のパロディなのだそう

だ。不可思議な童話は硬直した社会そのものを対象化してもいたのである。

【『不思議の国のアリス』の構造分析】

それでは『不思議の国のアリス』の構造について考えてみよう。

物語の冒頭部分、アリスは川辺の土手で本を読んでいる姉の横に座っていた。退屈だった。

そこに洋服を着た白ウサギが、人間の言葉を喋りながら通りかかる。

驚いたアリスは、白ウサギを追いかけ、ウサギ穴に落ちてしまう。

さまざまなものが壁の棚に置いてあるウサギ穴を落下して行き、落ちた場所は広間だった。アリスはそこで、金の鍵と通り抜けることができない小さな扉を見つけるのである。

数学者のルイス・キャロルがこれまでに僕が紹介してきた物語論（ナラトロジー）の構造を忠実に守っていることに気がつかれましたか？

物語の冒頭になければならない「欠落」とは、アリスが退屈しているということだ。白ウサギが登場し、しかしそのウサギは洋服を着て人間の言葉をしゃべる不思議な存在なので、アリスは「否応なく」旅立つことになる。

ウサギ穴がその入り口だ。

最初に倒す「小鬼」「橋守」とは、通り抜けることができない小さな扉である。

冒険が始まり、アリスはいくつかのイニシエーションをクリアしていく。そのたびに、白ウサギをはじめ、キノコの上の大きなイモムシ（第5章 イモムシの助言）などの助言者に助けられる。

いちばん魅力的な助言者は、アリスに三月ウサギと帽子屋の家へ行く道を教える、樹の上にいるチェシャ猫だろう。

さて、『不思議の国のアリス』における「隠された父の発見」「秘密の開示」とは何だろうか？

この作品に父親は登場しないので、「秘密の開示」ということになるわけだが、その舞台は玉座の前で行われている裁判のシーンである。

ハートのジャックが女王のタルトを盗んだ疑いで起訴され、白ウサギが裁判官役の王たちの前で罪状を読み上げる。裁判では、証人として帽子屋、公爵夫人の料理人が呼び出され、3人目の証人としてアリスの名が呼ばれる。アリスはその時、自分の身体が勝手に大きくなりはじめていることを感じていた。

アリスは、「何も知らない」と証言するが、裁判官達は、新たな証拠として提出された詩を検証し、それがジャックの有罪の証拠だと言う。

アリスはとうとう我慢できずに、この馬鹿げた裁判を非難し、こう言うのだ。

「あんたたちなんか、ただのトランプのくせに！」

この一言は、アリスが旅している不思議な世界の秘密そのものの開示である。

トランプ達が怒ってアリスに飛びかかり、驚いたアリスが悲鳴をあげると、次の瞬間、彼女は自分が姉の膝を枕にして土手の上で眠っていたことに気がつく――。

こんなふうに構造分析していくと、『不思議の国のアリス』という作品は「ＬＳＤでもやってるんじゃないの」というぐらい破天荒なストーリーでありながら、忠実にナラトロジーの枠組みを守っていることがわかるだろう。

【『シンデレラ』を貫く感情の起伏】

では『シンデレラ』の構造を見てみよう。

まずこの童話のアウトラインを紹介しておきます。

『シンデレラ』(Cinderella) は確かに童話だが、民間伝承が元になっており、ルイス・キャロル個人が書いた『不思議の国のアリス』とは事情が異なる。

グリム兄弟による『アシェンプテル』やシャルル・ペローによる作品がよく知られているが、より古い形態のバージョンも存在する。

日本版『シンデレラ』とも言うべき『落窪物語』や、中国にも唐代の小説『葉限』などの物語があり、古くから世界の広い地域に伝わる民間伝承だと考えた方が良いだろう。

最も古いバージョンは、ギリシャの歴史家ストラボンが紀元前1世紀に記録したロードピスの話だそうだ。

それぞれのバージョンによって多少の違いはあるが、大筋のストーリーはこうなっている。

①シンデレラは、継母とその連れ子である姉たちに日々いじめられている。

②やがて城で舞踏会が開かれることになり、姉たちは着飾って出ていく。しかし舞踏会用のドレスがないシンデレラは行くことができない。
③そんなシンデレラを、不可思議な力が助けることになる。魔法使い、仙女、ネズミ、母親の形見の木、白鳩――などである。しかし「魔法は午前零時に解けるのでそれまでに帰ってくるように」という禁止事項が付け加えられる。
④美しいシンデレラは、城の舞踏会で王子に見初められる。
⑤零時の鐘の音を聞き、急いで階段を降りるシンデレラは靴を落としてしまう。
⑥王子は、靴を手がかりにシンデレラを捜すことにする。
⑦シンデレラの落とした靴は、他の誰にも合わなかった。意地悪な姉2人にも合わない。シンデレラの足だけが、その靴にぴったり合った。
⑧シンデレラは王子に見出され、結婚することになる。

民間伝承の大枠をベースに、シンデレラがガラスの靴を履き、カボチャの馬車で出かけるというエピソードを付け加えたのはフランスの作家、シャルル・ペローである。

もっとも、ペロー以前、さらにフランス語圏外でもガラスの靴が登場するバージョンが確認されていて、ペローはそれを記録しただけだという説もある。

グリムによる『灰かぶり姫』は、ペロー版と違いかなり恐ろしい。脱線気味になるが、紹介しておきます。

王子がガラスの靴を手がかりにシンデレラを探すわけだが、上の姉がガラスの靴をはこうとすると、親指が入らない。

すると母親がナイフを渡し、こう言うのだ。

「その指を切り落としておしまい。おまえが妃になったら、もう歩く必要はないのだから」

娘は指を切り落とし、痛みをこらえながら靴をはき、王子の元へ行くのだ。だが、流れ出る血でバレてしまう。

次女は踵を切り落とすが、これも血でバレてしまう。

シンデレラの靴はとても小さい。

なぜ小さいのか？

それは、シンデレラが家にやってきた時、継母と姉たちがシンデレラからきれいな服をはぎとり、灰色の仕事着を着せ、木靴を与えたからだ。木靴を履かされたシンデレラの足はあまり大きくならなかったのだ。

物語の終盤、シンデレラの結婚式に出た２人の姉は妹の両脇に座るが、シンデレラの両肩に止まった白い鳩に両目ともくりぬかれ失明する。

さらに足を切り落とされ、松葉杖の生活になり、シンデレラは今まで自分を虐げてきた彼女達への復讐に成功し、うれしさのあまり満面の笑みを浮かべるのであった――。

【シンデレラ曲線とは何か】

グリム童話は人間の魂の奥深い部分を描いて魅力的ではあるが、今回サンプルにするストーリーはペロー版、もしくはディズニー版ということにしよう。

最初に冒頭になければならない「欠落」だが、家族の愛情が決定的に欠けている。シンデレラの孤独。それが作品全体を貫く「欠落」だ。これはアリスが「退屈」だったというよりはるかに深刻な欠落だろう。

この欠落の表現が『シンデレラ』のポイントで、かなり丁寧に様々なエピソードが積み上げられていく。アリスがウサギの穴に落ち、冒険が始まる——という具合には行かないのである。

欠落を抱えたシンデレラが、外圧によって否応なく旅立つ、という構造がこの童話にはないのである。肝心のストーリーが始まるまでにずいぶん時間がかかる。冒頭で描かれるのはシンデレラがいかに不幸かというエピソードばかりで、ストーリーが展開しだすのは王子様が主催する舞踏会のエピソードが登場した後のことである。

冒険を重ねた後、アリスは自分の意志で不思議の国を終わらせたが、シンデレラの成功は彼女のなんらかの決断の結果ではなく単にラッキーだっただけ、というところがポイントなのかもしれない。

僕の私見を述べるなら、『シンデレラ』は民間伝承が童話になったという経緯のせいかもしれないが、『不思議の国のアリス』のような物語論をベースにした構造を持ってはいないのだ。

その一方で、ヒロインであるシンデレラの感情の起伏は、とても丁寧に描かれている。シンデレラの悲しみ、苦痛、孤独、そこから脱出できるかもしれないという期待、それが果たせなかった時の絶望。そして最後にガラスの靴が彼女を歓喜へと導いていく。

アリスの方は主人公が幼いということもあるが、感情の起伏はそれほど大きくはない。ちょっと不安になったり、結末部分で怒ったり、という程度である。

『不思議の国のアリス』は黄金律とも言うべき物語の構造が支え、『シンデレラ』の方はヒロインの悲しみと喜びの螺旋が物語を支えている。『シンデレラ』という物語の縦糸は、「シンデレラが幸福かどうか」という感情の起伏なのである。それがそのままストーリーラインになる。

これを「シンデレラ曲線」と呼び、アメリカ的な物語の基本になっている。

簡単にストーリーを分析してみよう。

①シンデレラが継母や姉達にいじめられている日常が描かれる。シンデレラの感情は危機的なレベルではないが、低迷している。この部分は、作品のワールドモデルの説明も加わるので、非常に長い。読者はそれを我慢して読まなければならない。

②助力者達に支えられて舞踏会へ行き、王子様と踊る。シンデレラの感情曲線――すなわちシンデレラ曲線は一気に盛りあがる。

③深夜零時にシンデレラはかろうじて城を抜け出し、だがガラスの靴を落としてしまう。もとの貧しい生活にもどり、みじめな境遇を嘆き悲しむ。シンデレラ曲線はどん底まで落ちる――ここが重要

なのだ。

④ガラスの靴によって、シンデレラこそが王子が探す相手なのだということが証明される。物語論的に言えば、ガラスの靴は「英雄の証」である。シンデレラは幸福を感じ、シンデレラ曲線は最高に盛りあがる。

⑤シンデレラは王子様と結婚し、その幸福な様子が描かれながら物語は完結する。ハッピーエンドである。この幸福な様子、結婚式のシーンなどを省略することなく描かなければならない。

以上が簡単な「シンデレラ曲線」の説明だが、アメリカの小説やハリウッド映画の多くが、シンデレラ曲線によって作られている。物語を主人公の感情の起伏によって設計するシンデレラ曲線は無敵の勝利パターンなのである。

もちろんアメリカだけではなく、日本でもシンデレラ曲線によるプロット作りは広く受け入れられている。ＮＨＫの大河ドラマや、１９６１年（昭和36年）から放送されている「連続テレビ小説」と呼ばれるドラマの多くは、シンデレラ曲線をベースにしている。

１９００年に坪内逍遥が本名の坪内雄蔵名義で、高等小学校の教科書用に『おしん物語』という題名でシンデレラの話を書いた。シンデレラの名前が「おしん」になったわけだ。

他にも日本の代表的な教養小説であると評価されている山本有三の『路傍の石』や、下村湖人の『次郎物語』なども、乱暴な言い方だがシンデレラ系列の長編小説と考えられなくもない。

シンデレラ曲線が実現し得るもっとも素晴らしい文学的な美点は、作品を読んで感動できるという所なのではないだろうか。

好き嫌いはともかく『不思議の国のアリス』よりも『シンデレラ』の方がはるかに感動的である。それを実現するために最も重要なことは、「クライマックスを盛りあげるために、その直前に主人公を徹底的に痛めつけ感情曲線を落としておく」ということに尽きる。

この手法は、エンターテインメントを書く場合には特に重要で、推理小説やサスペンスのプロットをシンデレラ曲線の方法論で書いてみると、作品は圧倒的に面白くなるはずだ。

【シンデレラ曲線の問題点】

プロットを組み立てる上で魔法の道具のように見えるシンデレラ曲線も、もちろん万能ではなく、いくつかの問題を抱えている。

大きな問題点が2つある。

1つは既に書いたが、冒頭から半ばまでが退屈になってしまいがちなのだ。シンデレラ曲線の方法でプロットを立て小説を書く場合、主人公のネガティブな日常の描写が続き、これに、物語のワールドモデルの説明や、登場人物の紹介などが詰め込まれることになる。

読者はストーリーに引き込まれる前に、「主人公の負の感情と世界設定を長々と読まされている」ことになってしまうので、ここで飽きられる、または読者から見放される可能性もある。

もっとも、そこを我慢して読めば後半は余計なことを説明する必要はなく、ジェットコースターストーリーで、しかも感情の起伏が盛り上がっていくわけだから、面白いことこの上ないはずである。

もう1つの問題は、とりわけハリウッドの映画界がシンデレラ曲線による映画を量産したために、目新しさがなくなってしまっているのだ。

観る方は冒頭部分で飽きているのに、結末が見えてしまう——という事態にもなりかねない。

アメリカのカート・ヴォネガットも「感情の起伏」に注目した小説家の1人だが、「物語の作り方は6つしかないことがビッグデータ解析で判明した」と述べている。

ヴォネガットの理論は「物語は感情の弧をたどり、弧は異なる形を持ち、ある形は他の形よりも物語を伝えるのに適している」というものだ。主人公の感情の起伏を縦軸にすえるという意味では、彼の理論はシンデレラ曲線に近いと思う。

ヴォネガットは大学の講義で「男が穴に落ち、穴から出てくる」という展開の基本的な弧から「男の子が女の子に出会い、女の子を失い、女の子を手に入れる」というより複雑な弧など、いくつかの弧を提示した。

ヴォネガットは『シンデレラ』を含め、物語の感情の起伏を6つの具体的なパターンに分け、すべての物語はこのパターンに分類できるとしている。

僕は一応この説を読んでみたが、どうも精密さを書くような気がして、納得できなかった。そこで「ヴォネガットも物語を感情の起伏で合成することに挑戦している」と紹介しておくにとどめる。ま、個人的な話だがヴォネガットの小説を面白いと思ったことはないしね。

しかし、『シンデレラ』が実現したような、感情の起伏を縦糸にして物語を構成するのはとても有効な方法の1つなのである。

最後に、例によって脱線します。むしろ脱線を楽しみにしている、という方もいるようなので。

僕の周囲には、翻訳小説、カート・ヴォネガットを含むアメリカの小説が苦手だという人が案外多い。こういう友人たちは、村上春樹作品もダメみたいである。

女性に多い。

偏見かもしれないが、ローリング・ストーンズが好きな女の人達は、かなりの確率でアメリカの小説や村上春樹が苦手である。

僕は最初、本来の日本語ではなく翻訳調であることが問題なのかなと思っていたのだが、どうやらそれだけではなさそうだ。

日本の伝統的な作家たちは、もちろん物語論など学んだことはないだろうが、夏目漱石にしろ谷崎潤一郎にしろ太宰治にしろ、「書き出し」をとても大切にした作家たちだ。冒頭の数行を読ませたら、もう絶対に読者を離さないということに全身全霊をかけた文学である。

そういう意味では、純文学を書いた日本の作家たちは『不思議の国のアリス』派である。

一方、山本有三や下村湖人など長編教養小説を書いた作家たちはシンデレラ曲線派である。

さて、最初の質問を趣向を変えてもう一度。

あなたは『不思議の国のアリス』と『シンデレラ』、どちらの方法論が好きですか?

物語化計画では『不思議の国のアリス』の方が人気があった。僕自身もアリスの方が好きなのだが、自分の作品で『シンデレラ』パターンの長編がないか考えてみたら、『ロックス』がそうかなという気がした。

この作品は無名のミュージシャン同士が知り合い、バンドを結成し、成功を目指すいわゆるサクセストーリーなのだが、『シンデレラ』と決定的に違うのは登場人物たちが「ロックしたい!」と言う強い意志を持っている点だろう。『ロッキー』タイプなのかな?

物語化計画でこの問いを発した時、会員の皆さんがコメント欄に感想を書いてくださった。コメントを読みながら、結局のところ「何も努力しなくても王子様と結婚できる」という構造が好きになれるかどうかで評価が分かれるのだなと気がついた。

アリス派の楠章子さんは《児童文学作家をめざす人は、シンデレラ曲線のお話を一度は書いてみるべきのような気がします》と言っていて、本当にその通りだなと思います。児童文学に限らず、誰もが一度はシンデレラ曲線で小説を構想してみるべきだと思う。

お前も書いてみろ、と僕は自分自身に言い聞かせた次第です。

宮下恵茉さんのコメントも非常に貴重です。

今の児童書のエンタメ（児童文庫）ではアリスとシンデレラを足して2で割った構造の作品を求められます。

冒頭から読者の関心を惹きつつキャラには割とシリアスな欠落を抱えさせ同時に魅力的な個性を持たせる。

ラストまで一気に読ませるようにエピソードを盛り込み、一巻ごとにラストはきちんとオチをつけつつもシリーズとしての背骨を通す。

そしてそのシリーズ展開も売り上げによって突然延ばされたり打ち切られたりします。かなりハードルが高いことを要求されます。これを4ヶ月スパンで何冊もクリアしなくてはならず本当に大変です。


最近、宮下恵茉さんの『ひみつの魔法フレンズ』の6巻が出て、このシリーズが完結した。僕は全巻読んでいるが、面白い。宮下さんは複数のシリーズをコンスタントに刊行していて、すごいなと思う。宮下さんの魔法フレンズ・シリーズは物語の構造、縦糸が明確だから、6巻も続いたのである。

5章 プロップの『昔話の形態学』から学ぶ

プロップが提示した「機能」とは何か？

これまで僕が解き明かしてきた「物語の構造」は、ウラジミール・プロップやロラン・バルトからジョーゼフ・キャンベルまでのナラトロジー（物語論）をミックスし、アレンジして構築してきたわけだ。

だが今になって思うのは、僕がプロップやキャンベル、あるいはバルトに依っていたと考えていた物語の構造は、実は彼らのオリジナル・アイディアからかなりズレているということだ。

わかりやすく物語論を伝えようと四苦八苦しているうちに、本来的な物語論からはかなり逸れてしまっているのだ。

つまり、ヤマケン・ナラトロジーは、オリジナリティがあって実践的ではあると思うが、本来のナラトロジーとはかなり異質のものになってしまっている。

なぜか？

僕がフォーカスしたい対象は僕自身や皆さんが書こうとしている現代小説で、それはロシアの昔話や古代の神話とは似て非なるものだからだ。端的に言ってしまえば、「書き出しの現象学」や「ジェノバの夜」、「欲求と欲望」「正義だけは脱構築できない」といった発想は、本来のナラトロジーには存在しないのである。

それでも、従来の物語論を学ぶことには意味がある。現代の小説もまた、「物語」という大きな枠組みの中に措定されているのだから。これから2章にわたって先行する物語論を紹介します。ただしそれは現代小説に特化したものではないということを、頭の片隅に置いておいてください。

それではまずプロップについてきちんとお伝えしたいと思う。

ややこしい話で、ちょっと難解かもしれないが、可能な限りわかりやすくお伝えしたい。

『シンデレラ』の構造は見てきた通りだが、『ドラえもん』や『ハリー・ポッター』や『スパイダーマン』も似たような構造を持っている。

シンデレラやのび太、ハリーは、いじめられる弱い存在である。シンデレラをいじめるのが継母と姉達、のび太をいじめるのはジャイアンとその取り巻きのスネオ、ハリーをいじめるのは従兄のダドリーである。太った体格までダドリーとジャイアンはよく似ている。

しかし、シンデレラもハリーものび太も、魔法使いによって「魔法」の力を受け取ることにより、いじめる相手との関係を逆転させることに成功する。

のび太の場合、魔法使いはドラえもんだと考えればいい。

『スパイダーマン』では、主人公のピーターが科学展覧会場に出かける。放射線照射の実験が行われ、天井から1匹のクモが降りてきて放射能を浴びてしまう。実験を見学していた勉強好きの学生のピーターの手に、放射能を浴びて突然変異を起こしたクモが噛み付いた瞬間からピーターの体に力があふれ、クモのような不思議な能力が身につく。

こうしてピーターはスパイダーマンになり、クラスの友人たちとの力関係を逆転させるわけだ。

こんなふうに見ていくと、童話やマンガやハリウッド映画といった形態は違っても、複数の物語が似たような構造を持っていることに気がつくだろう。

『ドラえもん』の作者の藤子不二雄は既に亡くなっている。それにもかかわらず新作が公開され続けている。

なぜそんなことが可能なのだろうか？

『クレヨンしんちゃん』にせよ『サザエさん』にせよそうだ。

それは、それぞれの作品の構造・設計がはっきりしているからなのだ。

こういう物語の構造、設計図を最初に分析したのがウラジミール・プロップの『昔話の形態学』（1928年）であった。

20世紀に入ってからのことで、そんなに昔の話ではない。

ウラジミール・プロップは、ロシア人である。フォルマリストであった。

ロシアでは1910年代半ばから30年代にかけて、フォルマリズムと呼ばれる文学運動というか研究があった。シクロフスキーが中心人物で、彼が1913年12月に、「野良犬」という芸術家が集まるキャバレーで論文「言葉の復活」を朗読した。これがロシア・フォルマリズムの発端となる事件となったと言われている。

学生時代に読んだシクロフスキーのドストエフスキー論はとても新鮮で、引っ越しのたびに持ち運び、大学の研究室から持ち帰り今も僕の書棚に入っている。もう読むことはないかもしれないが、捨てられないのだ。

フォルマ、つまり「形」というくらいなので、フォルマリズムでは文学の「内容」ではなく「形式」に注目した研究が行われた。プロップの『昔話の形態学』もタイトル通り昔話の「形態」の研究であり、ナラトロジーの基礎を作った。

『昔話の形態学』でプロップが分析の対象としたのは、ロシアの魔法昔話である。プロップはロシアの魔法昔話を検討した結果、「あらゆる魔法昔話が、その構造の点では、単一の類型に属する」と結論づけたのである。ロシアの魔法昔話はすべて1つの設計図に基づいて作られていると考えたわけだ。

そして彼はロシアのあらゆる魔法昔話が31の型におさまることを発見し、「魔女や王様、動物など、昔話に登場する主人公が誰であるかを問題にするかぎり物語はほぼ無限に存在する」が、彼らが何を行い物語内でどんな機能を果たしているかを分析すると、ごくわずかな項で分類できることを発見した。

プロップは、魔法昔話に現れる要素を定項と不定項に分けて考えた。不定項というのはそれぞれの物語によって異なる要素のことである。

まあ、これはわかりやすい。

主人公やサブの登場人物などのキャラクター設定、あるいは住んでいる場所や時代など個別の事柄はすべて不定項だ。

では、物語によって変わらない定項にはどんなものがあるだろうか。

——人物の行為である。

これがプロップ最大の発見であり、オリジナリティであり、最初にプロップに接する時に僕らが戸惑う部分でもある。

プロップは、「あらゆる魔法昔話で、主人公たちは同一の行為をする」と言うのである。

注意しなければならないのは、プロップがここで言う「行為」とは、登場人物達の単なる行動のことではない。物語の筋の展開に直接影響を及ぼす人物の行為のことだ。

物語の筋に関わる人物の行為（イベント）を「機能」と呼んだのである。

「機能」という考え方を理解していただくために、例文を２つあげる。

①ジョン・レノンはビートルズのメンバーだった。
②ジョン・レノンは殺された。

２つの例文のうち「機能」を果たしているのはどちらだろうか。正解は②の「ジョン・レノンは殺された」である。生きていたジョンが今は既になくなっている——つまり状態が変わっている。ストーリーが展開している。それを果たすのが「機能」なのである。

僕らが小説を書く時、事実関係を説明していくだけではストーリーは展開しないのだ。登場人物たちが行為する様子を書かなければ話は展開せず、それには動詞が必要だということだ。

プロップは特定の機能の連続によって「魔法に関連する類の童話」が語られていることを、『昔話の形態学』の中で解説している。

機能は31項目に分類されている。

以下に紹介しますが、いきなり言われても「何、それ？」という感じかもしれません。ただ物語論に馴染んできた頃、辞書代わりにも使えると思うので紹介しておきます。

【プロップによる昔話の構造31の機能分類】

①「留守もしくは閉じ込め」　両親の死などによって主人公が1人になる。
②「禁止」　(例) この部屋を覗いてはいけない。
③「違反」　禁を破ると敵対者が現れる。
④「捜索」　敵対者は、主人公や他のキャラクターから、王女や王子の居場所・魔法のアイテムの在り処などの秘密を聞き出そうとする。
⑤「密告」　敵対者が情報を入手する。
⑥「謀略」　情報を得た敵対者は、王女やアイテム等を手に入れようとして、王女やアイテム等の持ち主を騙そうとする。
⑦「黙認」　主人公や王女等は、ついうっかり敵対者の策略にはまる。

⑧**「加害または欠如」**　その結果、敵対者に奪われ、作物が実らなくなったり、昼の光が奪われるなどのことが起こり、禁を破った大きなつけが主人公に被さってくる。

⑨**「調停」**　主人公は、依頼者から欠如したものを探しに旅立つよう求められる。王女がいなくなった場合は、この依頼者は大抵王様となる。主人公が継母などに家を追い出されるというパターンもある。

⑩**「主人公の同意」**

⑪**「主人公の出発」**

⑫**「呪具の授与者に試される主人公（贈与者の第一機能）」**　贈与者と主人公の一悶着。呪具を手に入れる為の試練、バトルやミッションを行う。

⑬**「主人公の反応」**　主人公がバトルやミッションをクリアする。

⑭**「呪具の提供・獲得」**　主人公は呪具を得る。呪具は鷲とか馬とか小舟とか指輪とか魔法などである。贈与される以外に、売られたり、交換したり、奪ったり、場所を教わる、というパターンもある。贈与者が助手になることもある。

⑮**「主人公の移動」**　呪具や助手の力で空間を移動する。

⑯**「主人公と敵対者の闘争もしくは難題」**　敵対者とバトルする。

⑰**「狙われる主人公」**　主人公に標がつけられる。標は敵対者から負った傷、王女が結んだハンカチだったりする。

⑱「敵対者に対する勝利」
⑲「発端の不幸または欠如の解消」　死者が生き返ったり、元の姿に戻ったりする。
⑳「主人公の帰還」
㉑「追跡される主人公」　敵対者の仲間、もしくは帰路で出現する新たな敵が、追跡する。
㉒「主人公の救出」　アイテムを使って脱出したり変装したり匿われたりして、逃げる。
㉓「主人公が身分を隠して家に戻る」　追われているので、素性を隠して帰る。匿ってくれた家の一員のふりをするなど。
㉔「偽主人公の主張」　偽の主人公が登場する。それは大抵主人公の兄弟である。主人公が地位の低い若者であったら、それは将軍であったりする。偽の主人公は、⑲「発端の不幸または欠如の解消」を行ったのは自分であるから自分と王女と結婚させろと主張する。
㉕「主人公に難題が出される」　依頼者は、主人公と偽の主人公のどちらが正しいのか、試験をする。
㉖「難題の実行」　主人公がクリアする。偽主人公が先に行う場合もある。
㉗「主人公が再確認される」　標によって、主人公が主人公であると識別される。
㉘「偽主人公または敵対者の仮面がはがれる」
㉙「主人公の新たな変身」　主人公は美しい服を着るなどして変身する。
㉚「敵対者の処罰」　依頼者は偽の主人公を処罰する。
㉛「結婚（もしくは即位のみ）」

日本の初期のＲＰＧソフト制作者たちがプロットのモデルにプロップの機能分類を用いたのは有名だ。『ドラゴンクエスト』など、『昔話の形態学』を上手にベースにしたゲームは少なくない。『ファイナルファンタジー』も、「５」あるいは「６」ぐらいまではプロップの強い影響が伺える──と、僕は思っています。

『ファイナルファンタジー』が独自の展開を見せるのは、やはり「７」からだと言うべきだろう。

さて、プロップには機能分類のほかに「７つの行動領域」というものがあり、次にこの行動領域の解説をしたい。

「7つの行動領域」とは何か?

プロップは、魔法昔話に現れる要素を定項と不定項に分けて考えた。不定項というのはそれぞれの物語によって異なる要素で、登場人物などのキャラクター、あるいは住んでいる場所や時代など個別の事柄だ。これらはすべて不定項だ。

そして「人物の行為」が定項である。

繰り返すが、これがプロップ最大の発見だった。

プロップが言う「行為」とは、物語の筋の展開に直接影響を及ぼす人物の行為のことだ。物語の筋に関わる人物の行為（イベント）をプロップは「機能」と呼んだのである。

この機能が31ある。

そしてこの機能の順番が入れ替わることはない。

①「**留守もしくは閉じ込め**」両親の死などによって主人公が1人になる。
②「**禁止**」(例)この部屋を覗いてはいけない。
③「**違反**」禁を破ると敵対者が現れる。

1から3までの機能は、この順番で進行しなければならない。プロップが研究対象にしたロシアの魔法昔話では例外なく最初に家族の誰かが家を留守にし、主人公は取り残される。

そして「ノックする音がしても決してドアを開けてはいけませんよ」という「禁止」事項が言い渡される。この禁止は破られる。これがロシア魔法昔話のパターンだが、日本の昔話だって同じ構造を持っているものが多い。『浦島太郎』は結局のところ玉手箱を開けてしまうのだし、『鶴の恩返し』では機織りをする妻の部屋を覗いてしまうのだ。

現代小説においても、旅行に出かける前に妻が「決して妹には会わないでね」と禁止事項を告げ、僕らの現実的な普通の日常生活ではこの禁止事項はだいたい守られるのだが、物語ではそうはいかない。

主人公は妻の妹に会い、たちどころに心を惹かれ、実はそれには過去の因縁が——というような展開になると物語が始まる。

機能1から3までだけでこうした展開が考えられるわけだが、プロップはこうした機能を31も抽出したのだった。

プロップ以降、物語研究者たちは「機能」、すなわち物語の時間を展開させる行為を分析対象としていくことになる。

プロップの理論を一言で表現するならば、こういうことになるのではないだろうか。

物語とは、時間的展開がある出来事を言葉で語ったものである

時間的展開があるというのは、人物が何らかの行為を行うことである。ただし、主人公の意志的な行動以外でも、それは起こり得る。

駅への道を急いでいた少年が角を曲がったら、少女と肩がぶつかった——という展開なら、典型的な「ア・ボーイ・ミーツ・ア・ガール」ストーリーになる。

ハードボイルドの主人公の探偵の部屋で、電話が鳴る。これも物語における行為の1つで「機能」を果たすことになるだろう。

少年と少女の曲がり角での衝突も、探偵事務所で電話が鳴るのも、物語の時間を先に進めている。これが「時間的展開がある」ということなのだ。

僕ら小説の実作者は、無駄なことをなるべく書かずに「時間的展開がある」機能＝行為を書くように努

めなければならないのだと思います。
プロップには31の機能分類の他に「7つの行動領域」という理論があるわけだが、説明するよりもまず見て頂こう。

【7つの行動領域】

①**敵対者**（加害者）
②**贈与者**（主人公を援助する人）
③**助力者**
④**王女**（探し求められる者）とその父
⑤**派遣者**（送り出す者）
⑥**主人公**
⑦**偽主人公**

今の感覚で言うならば、この行動領域はキャラクターと言って良いかもしれない。ただし、これらのキャラクターが「時間的展開」を達成するための行為の領域が7つあるとプロップは分析しているわけだ。

プロップは「登場人物が何をするか（動詞）」に注目して物語を分類しているわけだ。

それでは、『桃太郎』を素材にプロップの行動領域について考えてみよう。また『桃太郎』かよという声が聞こえてきそうだが、わかりやすいからね。『桃太郎』では7つの領域のうちの4つを使っている。

【『桃太郎』の4つの行動領域】

①**敵対者**　鬼が島の鬼
②**贈与者**　おじいさんとおばあさん（きび団子をくれた）
③**助力者**　犬・猿・雉
④**主人公**　桃太郎

機能分類のほうから『桃太郎』を分析するとこうなります。

【『桃太郎』の機能分類】

①「加害または欠如」　↓鬼が村を荒らしている
②「主人公の出発」　↓鬼退治に出発

③「主人公の反応」　→犬・猿・雉の「きび団子ください」に反応し、彼らを家来にする
④「敵対者に対する勝利」　→鬼退治に成功
⑤「主人公の帰還」　→宝を持って帰還

さて、ここでちょっと休憩。

コーヒーをいれ、加熱式煙草のIQOS《アイコス》を一服。昨夜、前のIQOSを風呂に落としてしまい、真夜中にコンビニに新しいのを買いに行って来たのです。こういう時、都内だといいよね。山形時代はいちばん近いコンビニまでの往復で小一時間はかかったから。


コーヒーと加熱式たばこでリラックスし、本音を書きます。

僕らは研究者ではなく小説の実作者なので、機能分類だ行動領域だなどと言われても、"SO WHAT?"というようなものだ。

それが何か?

何の役に立つわけ?

俺が創造した稀有な主人公の起死回生の一打が「機能」? フザケンナよ――みたいな?

ロラン・バルトは『作者の死』の中で「語り手と登場人物を《生きた》人間と見なすのは正しくない。語り手も登場人物も《紙の上の存在》である」と言っている。

では誰が語るわけ？

バルトは現実的な人格としての語り手を否定し、「語るのは言語活動であって作者ではない」と言っている。

いやいやいや、これは俺が書いた小説だから——と反論したいのだが、物語の構造としてはバルトの指摘は正しいのである。

ニーチェが神を殺し、バルトが作家を殺したのである。

しかし「言語活動が語っている」と言われれば、フザケンナよという気分にもなろうというものだ。

よくわかります。僕も最初はそうだった。

しかもウラジミール・プロップが研究対象にしたのはロシアの魔法昔話なので、僕らが挑む現代小説とかなり事情が異なる。応用できる部分は限定的だということを忘れないように。

しかし、それでも実は実作者の僕らがナラトロジーから学ぶ点は多いのだ。コンピューターの上に広げた真っ白なテキストエディタの荒野を旅する時に、地図の役割を果たしてくれる。

それにしても31項目の機能分類は多すぎてわけがわからないという意見もあろうかと思う。

もっともな意見です。

プロップの魔法昔話の構造は、実は4つの部分に分けて考えると整理しやすい。ジョーゼフ・キャンベルによる物語の構造図式も、これをベースにしている。

【物語の構造シンプル版】

①世界の破綻
②主人公のコミット
③難題の解決
④世界の修復

次の章ではプロップよりもいくらか現代小説に近いジョーゼフ・キャンベルのナラトロジーから学べる箇所をお伝えしたいと思う。

6章 ジョーゼフ・キャンベルの『千の顔をもつ英雄』から方法論を引き出す

「英雄」の存在に注目し、それぞれの神話に共通の構造を見出す

プロップの次に、今や古典ともいうべきジョーゼフ・キャンベルのナラトロジーをなるべく正確に『千の顔をもつ英雄』をベースに紹介したいと思う。

この本を有名にしたのは、映画監督のジョージ・ルーカスだ。ルーカスは大学でキャンベルの授業に強い影響を受け、キャンベルの英雄伝説の基本構造を『スター・ウォーズ』3部作にそっくり使用したのである。ハヤカワ文庫の帯にも《スター・ウォーズシリーズの原点！》というコピーが刷り込まれている。

ジョーゼフ・キャンベルはアメリカ合衆国の神話学者である。だからまずは神話とは何かという話から入らないとなと思う。

キャンベルは幼い頃、父親に連れて行ってもらったニューヨークのアメリカ自然史博物館で展示されていたネイティブ・アメリカンの工芸品を見てその文化に魅了され、彼らの神話を調べるようになった。

その後ギリシャやインドの神話にも魅了され、それらが彼の稀有な研究の成果になった。

というわけで、そもそも「神話」とは何かということを押さえておかないと話がちんぷんかんぷんになってしまうので、まず神話について考えてみよう。

神話は現代小説とはかなり趣が異なる。しかし現代小説や映画やゲームや演劇などは、「創作」のルーツにある神話を忠実に踏襲している場合が多い。

ジョーゼフ・キャンベルの神話論で特徴的なのは「英雄」の存在に注目し、それぞれの神話に共通の構造を見出したということだろう。

キャンベルは、英雄の旅は共通の構造を持っていると言うのである。

英雄神話は、３つのパートに分けられる。

①主人公は別の非日常世界への旅に出る。

②イニシエーションを経験する。

③元の世界に帰還する。

これは「行きて帰りし」という物語論の基本に即している。これをもう少し詳しく分けると、８つのパートに区切ることができる。

【英雄神話の構成】

1 Calling（天命）
2 Commitment（旅の始まり）
3 Threshold（境界線）
4 Guardians（メンター）
5 Demon（悪魔）
6 Transformation（変容）
7 Complete the task（課題完了）
8 Return home（故郷へ帰る）

プロップの『昔話の形態学』と異なるのは、彼のロジックがユングの心理学を基調としたものである点だと僕は思う。

キャンベルは「英雄神話は人間の自己実現のプロセスと対応している」という発想を前提とし、古今の英雄神話は単一の形式に還元できると述べている。

これを単一神話論と呼んだりします。

キャンベルは神話というスケールの大きな物語を身近に引き寄せるために、フロイトやユングの学説を利用している。

わかりやすい例をあげよう。『千の顔をもつ英雄』からの引用です。
こんな具合である。

精神分析医が書いた大胆で画期的な著作の数々は、神話学の研究者には避けて通れない。なぜならば、特定の症例や問題についての詳細でときに矛盾を抱えた解釈をどのように考えるとしても、フロイトやユングやその系譜の学者が、神話の論理や英雄や偉業は現代も生きている、と明白に示しているからである。強い印象を与える普遍的な神話がなくても、私たちは一人ひとりが、未発達でまだ認識されていないが密かに影響力を持つ、自分だけの夢の神々を持っている。現代のオイディプスや恋する美女と野獣が、きょうの午後も、ニューヨークの五番街四二丁目の角に立って信号が変わるのを待っているかもしれない。

「ぼくは夢を見ました」とアメリカ人の若者が、ある新聞の特集記事の筆者に手紙を送った。

(ジョーゼフ・キャンベル『千の顔をもつ英雄』ハヤカワ・ノンフィクション文庫/倉田真木他訳)

ここからが、その件の青年の無邪気な告白である。

家の屋根板を張り直していました。不意にぼくを呼ぶ父の声が下から聞こえました。ぼくは父の声がよく聞こえるように、と思って、とっさに体の向きを変えました。そのとき手からハンマーが落ちて、屋根をすべって視界から消えました。ドサッという人が倒れる重い音がしました。

ぼくはとても怖くなって、はしごを伝って下に降りました。すると父が倒れて亡くなっていました。頭のあたりに血だまりができています。ぼくは心が張り裂けそうになって、泣きながら母を呼びました。母は家から出てくると、ぼくを包むように抱いて言いました。「あなたは悪くない。事故なのよ。父さんが死んでも、母さんの面倒をみてくれるわよね」そうしてぼくにキスをしているときに、目が覚めました。

ぼくは兄弟の中で一番の年長で、二三歳です。妻とは別居して一年になります。どういうわけかうまくいきませんでした。ぼくは両親をとても大事に思っています。父とは喧嘩したこともありません。ただ父はぼくに、戻って妻と一緒に暮らすように、とうるさく言います。でも妻とではきっと幸せにはなれないでしょう。だから戻りません。

（同）

これを読めば、誰だってこの告白が現代版『オイディプス王』だと思うに違いない。キャンベル自身はこの告白をこんなふうに分析している。

この、妻とうまくいかない夫は、精神的なエネルギーを結婚生活の愛情や問題に向けず、想像の世界の秘密の隠れ家にこもって、最初で唯一の感情的な関わりという今日ではばかばかしいほど時代錯誤でドラマチックな状況にいることを、驚くほどあっけらかんと語っている。それは母親への愛情のために父親に反発する息子という、子ども部屋で起こる悲喜劇的な三角関係である。明らかに、人間の精神の中でいつまでも消えない素質は、どの動物と比べても人間は母親の胸に抱かれて育つ時間が長いという事実に由来する。人間は生まれ出るのが早すぎる。外の世界と対時するには未成熟で、準備が整っていない。その結果、危険な世界から全面的に守ってくれるのは母親になり、母親に守られた状態で子宮内に留まる期間が引き延ばされることになる。それゆえに依存する立場の子とその母親は、産みの苦しみを経たのち何カ月も、肉体的にも心理的にも二人でひとつの関係になるのである。母親がそばから少しでも長く離れると子どもは緊張し、そこから攻撃性という衝動が生じる。また母親がやむなく子どもの自由な活動を邪魔すれば、攻撃的な反応を引き起こすことになる。こうして子どもの最初の憎悪の対象は最初の愛情の対象と同じになり、最初の理想は（その後は至福、真理、美、完璧といったイメージの無意識な基本として記憶される）聖母子像が表す二者単一体になる。

（同）

いかがだろうか。

英雄とは僕らの身近な隣人、いやむしろ僕ら自身なのである。

キャンベルのこの分析は、フロイトの学説を前提にすることにより、神話と現代のクライムノベルをつないでいると言えはしないだろうか。

かつて僕が書いた『安息の地』も、ジョーゼフ・キャンベルが描いた世界のどこかに位置しているのだろうなと感じられる。

それにしても不運なのは父親である。

彼は子宮の中の居心地の良さを置き去りにした子供にとって、現実という名の秩序を押し付ける最初の存在になるのだ。だから初めは敵として認識される。守ってくれるのは母親という良きものだ。

この良きイメージは母親がそのまま持ち続ける。やがて子供は幼児期を終える。この幼児期の死、死に向かう欲望であるタナトスとデストルドーは、エロス、リビドーとうまく配分されることになるわけだが、それがエディプス・コンプレックスのベースになる。

ジークムント・フロイトは、人間の大人が理性的な生き物として行動できない大きな理由として、エディプス・コンプレックスを提唱したのである。

もっともフロイトはちゃらっと「父ライオスを殺して母イオカステーと結婚したオイディプス王は、単に幼児期の望みを叶えたことを示すにすぎない。しかし私たちはオイディプスより幸運なことに、精神神経症の患者になっていなければの話だが、自分たちの性的衝動を母親から切り離し、父親に対する嫉妬心を忘れることに成功した」と言っている。

英雄神話は僕ら自身の自分探しの旅のプロセスと対応している

キャンベルは「英雄神話は人間の自己実現のプロセスと対応している」と述べている。

僕なりにそれを一歩進めれば、「英雄神話は僕ら自身の自分探しの旅のプロセスと対応している」のである。

ジョーゼフ・キャンベルの神話論で特徴的なのは「英雄」の存在に注目し、それぞれの神話に共通の構造を見出したということだ。

キャンベルは、「英雄の旅は共通の構造を持っている」と言うのである。

英雄は危険を冒して日常世界だけでなく、人間の力が及ばない超自然的な領域にも出かける。その未知なる領域で超人的な力に遭遇し、紆余曲折あるが最後は勝利を収める。そして不思議な冒険から、日常世界に帰還する。

キャンベルは、神話学上初めて「英雄」を規定した。

英雄とは「生誕の再現」が絶えず繰り返される存在であり、自己克服を達成した人間のことだ。

そんなスーパーヒーローは僕らにはあまり関係がないと思いがちだが、そうでもない。先述したように
キャンベルによれば、英雄神話は人間の自己実現のプロセスと対応しているのである。最初に紹介した妻とうまくいかない男が、オイディプス王に対応しているように。

そしてキャンベルは、神の造形はあらゆる民族に共通する「欲求」に基づいていると述べている。だか

ら他民族の神話も解読可能なのである。

さらにキャンベルは「神話の力」を現代に通じる言葉で書き記すためにジークムント・フロイトやカール・グスタフ・ユングの学説を援用し、遂にルーカスが『スター・ウォーズ』の骨組みに採用した世界の英雄伝説に共通している構造を発見するのだ。

ギルガメッシュやイシュタルも、ジークフリートも、オジマンディアスもモーゼも、オイディプス王やプロメテウスも、玄奘と孫悟空、坂田金時や桃太郎も、その冒険の構造は同じだということだ。イザナギとイザナミ、ブッダ、イエス・キリストも、同じプロセスを経て英雄伝説の主人公になった——ということをキャンベルは発見したのである。

キャンベルの『千の顔をもつ英雄』は、誤解されがちだがストーリー作りのための参考書ではない。こいつは神話学を巡る本で、「千の顔」と豪語するだけあり、数多くの神話が紹介されている。ゲーム「FGO（Fate/Grand Order）」のユーザーなどにはたまらない内容なのではないだろうか?

ただし、キャンベルが世界各地の神話を比較、検討した結果、神話には普遍的な「原型」があることがわかった——と、論理というか物語論としてはそれくらい大雑把なのである。

前に扱ったウラジミール・プロップのように「物語には前提として欠如あるいは禁止が必要だ」などというところまで突っ込んではいない。

しかし、いちばん大切なのは、神話と現代に橋を架けていることだ。

多くの神話が持つ「原型」は、実は現代を生きる僕らが見る夢の内容にも共通して見られるものであるとし、その根拠にフロイトやユングの精神分析の成果を紹介していく。

そしてキャンベルは、世界に散在する多くの神話は、人類が共通に持っている心理構造に基づいて繰り返し語られてきたただ1つのストーリーなのであり、つまり英雄とは今を生きるあなた自身のことなのだという結論に向けてその壮大な仮説を推し進めていく。

英雄神話は自分探しの旅のプロセスに対応している、ということだ。

そんなわけで、物語の構造を明確に解き明かしたり、自分探しの旅の地図にしようとする場合には、「千の顔」の1つを持っている現代の「英雄」として、有効なロジックを自分自身でつかみとって来なければならないわけだ。

僕らがキャンベルから学ばなければならないのは、たとえばファンタジーだからといって、あれもこれもと詰め込んではいけないということだろう。

ファンタジーを書いている若い人達は多い。大学教授時代、ドラゴンが登場する小説を何十本読んだことだろうか。みんな現実に嫌気が差しているのだ。恋愛にも将来の仕事にも興味はない。そういう学生達にとって、ドラゴンほど魅力的な存在はないのだ。

しかし荒唐無稽に見えたとしても、そのドラゴンやエルフ、森や湖は、忠実に僕ら自身の潜在意識の反映でなければならないのである。

キャンベルの神話論にとって、精神分析の成果を利用するのがいかに有効だったか、ということを僕は考えた。

精神科医は神話世界における指導者の現代版だとも言えるのかもしれない。精神科医は英雄に助言して冒険を潜り抜けさせる賢者そのものであり、英雄を元の世界へ帰す役割を担っている。

神話とは、それほど深く人間の潜在意識に関わっているわけだ。キャンベルは「いまでは人間そのものが最高の神秘である」と言っているが、壮大な神話もまた「私」を物語化したものなのであり、皆さんが書く新しい小説の1ページは新しい神話の1ページでもあるのです。

ドラゴン小説を書くなとは言わない。しかしそのドラゴンが、あなたの心的領域の何の象徴なのかということを、じっくり考えてみる必要がある。英雄はあなた自身であり、ドラゴンはあなたの中に棲んでいるのだ。

それを知った上で、新しい神話の1ページを書き記そう。

第3編

発語以降

課題 【絶対に告白してはいけない相手】

絶対に告白してはいけない相手に告白するシーンを４００字詰め原稿用紙５枚程度で書いてください。本来的に「絶対に告白してはいけない」対象というものは存在せず、それはあくまでも「制度」側の要請なので、このシーンを書けばごく自然にあなたにとっての「制度」というものがわかるはずです。

課題 【何かが終わるシーン】

何かが終わるシーンを、４００字詰め原稿用紙５枚で書いてください。何かというのは恋愛でもいいし、会社を辞めるシーンでもいいし、家出でも構いません。主人公にとって大切な関係にピリオドを打つシーンを描いてください。

課題 【短編小説】

「絶対に告白してはいけない相手」あるいは「何かが終わるシーン」を含んだ短編小説を４００字詰め原稿用紙20枚程度で書いてください。

1章 基礎的な文法の話

助詞音痴を治す

あなたは遂に新しい小説の1行目を書いた。つまり発語した。

ここでそろそろ、とても地味だが日本語を書く上で避けて通れない文法の話をする。

もっとも、僕らは言語学者ではなく文法的な過ちをおかさずに正しい日本語を綴れればそれでいいので、基礎を押さえておけばそれでいい。

そんなわけで、文法講座基礎編というかブートキャンプをスタートしよう。

目的は「正しい日本語を書く」こと。これはもちろん小説を書く上では必須条件だし、「私」の謎を解き明かすべくノートを書く場合にも必要なことである。

言語は、カオスに形を与え、無限にある世界をわかりやすく整理する機能を持っている。しかし、それはあくまでも正しい文法に則って言葉を使う場合に限られる。文法的な間違いは、可能な限り修正しなければならない。

簡単そうに見えて、だが実のところとても難しい。

歌を歌うと、調子が外れてしまう人がいる。シンガーがレコーディングの際、「コーラス部分のトップがちゃんと当たってないよ。フラットしてる」というようなレベルではない。まるっきり外れてしまう――つまり音痴と言われる人たちだ。

Aの部分はちゃんと歌えるのに、コーラスのパートになると転調してしまう人もいる。

これは技術の問題ではなく、精神的な問題なのではないかと僕は密かに考えている。文字通り「発語」「発声」の問題ではないかと思うわけだ。だって、コーラス部分で転調する方が難しいではないか！

ここまで前置きすればもう察しがついたと思う。つまり、文章を書く際にも「音痴」としか思えない人たちがいる――ということを書きたいのだ。

僕は東北芸術工科大学で8年間教員をやったが、300人以上の教え子の中にも、この「音痴」はいた。

その多くは、2つに大別される。助詞の使い方を間違えているパターンと、主語と述語がきちんと対応していないケースだ。これを修正するのが非常に難しい。

【助詞とは何か？】

まず助詞の問題からいこう。

助詞とは何か。ウィキペディアより引用する。

助詞（じょし）とは、日本語の伝統的な品詞の一つである。大和言葉においてはかつて「あとことば」と呼ばれていた。他言語の後置詞、接続詞に当たる。

日本語においては、単語に付加し自立語同士の関係を表したり、対象を表したりする語句の総称。付属語。活用しない。俗に「てにをは」（弖爾乎波・天爾遠波）か「てにはを」（弖爾波乎）と呼ばれるが、これは漢文の読み下しの補助として漢字の四隅につけられたヲコト点を左下から右回りに読んだ時に「てにはを」となることに因るものだ。

（ウィキペディア）

日本語の助詞の使い分けには曖昧さがあり、例としては、「海に行く」と「海へ行く」の「に」「へ」や「日本でただ一つの」と「日本にただ一つの」の「で」「に」や「目の悪い人」や「目が悪い人」の「の」「が」、「本当は明日なんだけど」「お言葉ですが」「さっき言ったのに」「終わるの早いし」に見られる終助詞的な接続助詞の使用などが挙げられる。また、格助詞さえ覚えていれば助詞のおおよそは分類できる。これは、副助詞は数多くあるが、接続助詞や終助詞はわかりやすく、格助詞はそれほど数が多くないためである。

助詞のアウトラインをもう少し丁寧に解説しておこう。

助詞は言葉に意味を与える語だ。「が」「も」「の」「を」などが助詞だ。格助詞・接続助詞・副助詞・終助詞などがある。

・薔薇が咲いた。（主語であることを示す助詞「が」）
・寒いから行かない。（理由をあらわす助詞「から」）
・猫をいじめるな。（禁止をあらわす助詞「な」）

助詞の特徴は、次の2つだ。

①助詞は付属語であり、それだけでは意味をなさない。他の語に付属するため付属語と呼ばれる。動詞や名詞などの自立語とは違うということだ。
助詞はそれだけでは意味がわからず、自立語（動詞・名詞・形容詞・形容動詞）の後ろにくっついている1文字から3文字の付属語なのだ。

しかし、この「1文字から3文字」がセンシティブないい仕事をするのである。

②活用がない
助詞には活用がない。つまり形が変わらない。助詞とよく似た名前の助動詞というのがあるが、助

詞と助動詞の違いは活用があるかないかだ。


ここでついでに助動詞の活用例をあげておく。

ちなみに、活用とは、後ろにくる語によって形が変わることを言う。

助動詞「させる」の語尾を変化させる、つまり活用させるとこうなる。

未然形：させない
連用形：させた
終止形：させる
連体形：させる時
仮定形：させれば
仮定形：させろ、させよ

というわけで、助詞は活用がなく、助動詞は活用がある。

いい仕事をするが地味に見える助詞は、格助詞・接続助詞・副助詞・終助詞の4つに分類される——と再確認した上で、いちばん大切で、選択間違いしやすいのが格助詞だ。

というわけで、最初のブートキャンプは格助詞に突っ込みます。

格助詞

格助詞は、おもに体言（名詞）のうしろについて、その体言が、文中の他の言葉に対してどのような関係かを示す働きをする助詞だ。「が・の・を・に・へ・と・より・から・で・や」の10種類がある。

格助詞には主語・連体修飾語・連用修飾語・並立をあらわす4つの使い方がある。

①主語であることを示す働きをする「が」「の」

助詞「が」「の」をつけることで、主語であることを示す。

薔薇が咲く。

薔薇の咲く季節だ。

という具合だ。「の」も主語であることを示している。

②連体修飾語であることを示す「の」

助詞「の」をつけることで、連体修飾語であることを示す。連体修飾語は体言を修飾する語だ。

薔薇の花束。

助詞「の」が、すぐ後ろの体言「花束」を修飾している。

③連用修飾語であることを示す「を」「に」「へ」「より」「で」

助詞「を」「に」「へ」「より」「で」をつけることで、連用修飾語であることを示す。連用修飾語というのは、動詞、形容詞、形容動詞を修飾する語だ。

サラダを食べる。
将来スターになる。

助詞「を」「に」がすぐ後ろの用言「食べる・なる」を修飾しているわけだ。

④並立の関係であることを示す「と」「や」「の」

助詞「と」「や」「の」などをつけることで、並立の関係であることを示す。

ギターとハモニカを買う。
ギターやハモニカを持って。
言ったの、言わないので押し問答になった。

助詞の覚え方には、有名なこんな語呂合わせがある。

「を・に・が・と・より・で・から・の・へ・や」

（鬼が戸より出、空の部屋）

まあ、これを覚える必要はないが、格助詞の役割だけはきちんと理解しておくこと。接続助詞などその他の助詞については後述します。

【助詞音痴を治す3つの方法】

なんだかややこしい話だが、「助詞音痴」の人は格助詞の使い方を間違えている場合がほとんどだ。つまり「てにをは」が間違っている。

文法の話というと敬遠したくなる気持ちはわかる。母語、われわれの場合なら日本語は、本来は文法のことなど考えなくてもよいのだと僕は思っている。文法なんて無視しても読み書きできるのが母語の素晴らしいところなのだから。

僕は文章を書くことを職業にしているが、文法のことなどほとんど何も知らない。

たとえば『枕草子』の書き出し、「春は、あけぼの」の助詞「は」はどういう意味を持っているのか？「春は、たのしい」「春は、きらいだ」などの「は」と同じだろうか？　どうもそうではないようだ。

「僕はカレーね」

そういう言い方もある。

これはもちろん「僕はカレーにするよ」という意味であって、「僕は男」「僕はサラリーマン」の場合の「は」ではない。

日本語を外国語として勉強する留学生ならこのあたりで戸惑うだろうが、日本人のわれわれは、この助詞について明確に説明することはできなくても意味はわかるはずだ。

「春ならやっぱりあけぼのがいいわよね」と清少納言は言っているわけだ。

清少納言は『枕草子』で、前後の言葉を可能な限り省略して「春は、あけぼの」と書いたのである。文法的にはかなり高度なことをやっているわけだが、母語であるから僕らにはその意味がスンナリわかる。

だから助詞のことなど知らなくてもいい。急いで書くと僕もよく「……が」「……は」「……に」などの助詞を間違って使ってしまうことがあるが、これは読み返せばすぐに気がつくはずだ。気がついたらすぐに訂正しておけばいいだけの話だ。文法というほどのこともない。

さて、友よ！

実はここが大切なのだ。「読み返せばすぐに気がつく」のだから「気がついたらすぐに訂正しておく」ことが大切だ。

つまり推敲すること。

学生の小説を読んでいて、全くオリジナルな高度で美しい10行があり――しかしその前後は助詞の選択が間違いだらけという作品がある。1人ではなく、そういう学生が何人もいた。僕は助詞に赤入れをして訂正し、彼女に言う。

「これはプレハブの掘っ建て小屋にゴッホの絵が1枚架けてあるようなものだよ。ちゃんと推敲してね」

「すみません、今度からちゃんと読み返します」

しかし、である。次の原稿も「間違いだらけの助詞選び」なのである。

そういう学生が5人もいると大変だ。僕は仮にも大学教授なのに、助詞の訂正職人みたいなことになってくる。いくら壁にゴッホが架けてあっても、文法的な間違いだらけでは困る。そういう作品は流行のワンピースを着ているのに実は3日も下着を洗濯していない美少女みたいなもので、やがて僕は疲れ果てた。

僕が助詞の間違いを細かく指摘しているのを見た他の教員（批評家）が言った。

「デビューすれば助詞なんて編集者が直してくれるから大丈夫だよ」

これは絶対に違う。

「書き出しの現象学」のロジックからしても違うし、そもそも自分の下着は自分で洗濯すべきである。

「春は、あけぼの」を持ち出すまでもなく、本来曖昧な助詞を選択するのは、自分なりの美学を構築するということなのだ。「私は山川健一です」「私が山川健一です」の両方が文法的には正しい。しかし、「は」と「が」では微妙にニュアンスが異なる。

「あなたを好きだ」「あなたが好きだ」でも事情は同じである。

あるいはここは、「春は、あけぼの」から連綿と続く日本文学の省略の美学に則り「好き」だけの方がいいかもしれない――と、いろいろ考えなければならないわけだ。

話を戻す。

やがて僕は、学生たちは推敲をサボっているわけではなく、「助詞音痴」なのだと気がついたのだった。

厳しいようだが、これは学生だけの話ではない。オンラインサロン『「私」物語化計画』の会員の中にも、さらにプロの作家の中にもそういう人、そういう作品はある。

もちろん単行本として刊行された作品に文法間違いがあっては困るが、僕は編集者の仕事もしてきたので生原稿を読む。するとたまに「助詞音痴」の原稿があるわけだ。

この悪癖を治すのは、とても大変だ。

だが大丈夫。レッスンすれば治る。

どういうレッスンをすればいいのか。

①自分の原稿を何度も読み返す。
②音読する。
③２、３人のグループで原稿を交換し、相互チェックする。

大学ではこの３つの方法を採用し、僕は「助詞音痴」治療にかなりの効果をあげることに成功した。

原稿を読み返すのが基本だ。

話す時は誰も文法なんて間違えないのに、文章を書かせると間違いだらけということがよくある。そこで「話す時」に立ち返るために音読するのである。

音痴の人は自分がそうだとはなかなか気がつかないので、誰かに指摘してもらうことは有効だ。それを全部僕がチェックするわけにもいかないので、グループを作り相互教育することにしたわけだ。

皆さんも、まず「正しい日本語を書く」のだという強い意志を持ち、上に挙げた3つの方法で完璧な文章になるまで自分の原稿を推敲する習慣をつけてください。

この過程で、助詞の問題だけではなく、余計な部分を削除したほうが読みやすい文章になったり、句読点の打ち方にも、改行の仕方にもリズムがあることがわかってくるはずだ。

しばらく文法の講義を続ける。地味だが大切なことなので、読んでください。

多くの文章は、接続詞の不在もしくは過剰によって停滞する

日本語の品詞、特に接続詞に関するアドバイスを書く。どれが接続詞でどれが副詞なのか、文章の中でどのように使えばいいのか——というような話だ。

文法の話など退屈だろうから、なるべく手短にすませるつもりだ。

それでは、品詞の話からしよう。

品詞とは何か？　単語を文法上の性質によって分類したものだ。動詞や名詞はすぐに思いつくだろう。

前項で扱った助詞も品詞の1つである。

そうそう。品詞の解説の前に、中学か高校で習ったはずの用言と体言は覚えていますか？

用言は、それだけで述語になる単語で、動詞・形容詞・形容動詞のことを指す。体言は「が」「は」などをつけて主語になれる単語で、名詞のことだ。

体言止めというのは「いづこも同じ秋の夕暮れ」（良暹法師）のように、名詞で終わる文章のことで、突き放した寂しさを感じさせるのに適している。

「秋の夕暮れ」は『新古今和歌集』の三夕《さんせき》の歌に出てくる。

寂しさはその色としもなかりけり槙立つ山の秋の夕暮れ（寂蓮）
心なき身にもあはれは知られけり鴫立つ沢の秋の夕暮れ（西行）
見渡せば花も紅葉もなかりけり浦の苫屋の秋の夕暮れ（藤原定家）

余計なことながら、僕は西行の歌がいちばん好きだ。心なき身というのは、出家しているという意味だ。

ただし皆さんは小説の中で体言止めはなるべく使わないようにしてください。雑誌のキャプションみたいになってしまいます。３００枚の小説で2、3度が限度と心得るように。

それから同じ言葉でも、使い方によって品詞が変わる場合がある。ま、この話は無視してもらって構いません。

さて、日本語にはいくつの品詞があるだろうか。思いつくだけあげてみてから、続きを読んでください。

では、品詞の種類を見ていこう。

【日本語の品詞の一覧】

❶動詞

動詞は、物事の動作・作用・存在などをあらわす語です。自立語で活用がある用言で、言い切りの形が「う」段で終わるという特徴がある。

- **思い出を語る。**
- **ルビコン川を渡る。**

❷形容詞

形容詞――までは簡単だよね？　形容詞は単語の性質や状態などの意味を説明する。自立語で活用がある用言で、言い切りの形が「い」で終わるという特徴がある。

- **面白い物語。**
- **赤いポルシェ。**

❸形容動詞

形容動詞はちょっとややこしいが、物事の性質や状態を説明します。自立語で活用がある用言で、言い切りの形が「だ」で終わるという特徴があります。

- **夕焼けがきれいだ。**
- **とても静かだ。**

❹名詞

名詞は、いろいろなものの名称。体言ともいう——のは前述した通りだ。自立語で活用がなく単独で主語になることができる。

- **地球。**
- **空。**

❺副詞

副詞は、主に用言を修飾して意味をくわしく説明する。自立語で活用がなく、主に連用修飾語になります。

- **ゆっくり歩く。**
- **大きく動く。**

❻連体詞

連体詞は、体言を修飾して意味をくわしく説明する。自立語で活用がなく、主に連体修飾語になる。

・あの男を見てください。

・大きな木。

❼接続詞

接続詞は、前後の語や文をつなぐ働きを持っている。自立語で活用がなく、単独で接続語になる。この接続詞がとても重要で、後で詳しく説明します。

「それで」「だから」「しかし」「だが」「また」「そして」「それとも」

「または」「つまり」「なぜなら」「ところで」「さて」

❽感動詞

感動詞は感動・呼びかけ・応答などをあらわす。自立語で活用がない体言で、普通は文頭にある。

・あら。

・ああ。

・こんにちは。

❾助詞

助詞は、語に意味を添えたり、語の関係を示す語だ。付属語で活用がなく、それだけでは文節を作ることができない。

「を」「に」「が」「は」「と」「ても」「は」「も」「こそ」

❿助動詞

助動詞には、用言・体言などに付属して意味をそえる働きがある。付属語で活用がある。

「れる」「られる」「せる」「させる」「ない」「そうだ」「らしい」「です」

以上が10個の品詞だ。
覚える必要は全くありません。文章を書いていて疑問に思ったら、僕が書いたこの文章を参照してください。

【接続詞の不在もしくは過剰】

ここからは正確な文法のことではなく、文法的な話を書く。「助詞音痴」に続く話題で、「接続詞音痴」の話である。
多くの文章は、接続詞の不在もしくは過剰によって停滞してしまう——という話だ。

ご存知のように、接続詞は「そして」「だから」「それで」「および」「つまり」「ただし」「あるいは」「ところで」などといった、文章と文章をくっつける接着剤の役割を果たす品詞だ。

接続詞はそれ単独で接続語として、前後の文脈の関係を表す。

さらに言えば、接続詞は論理に一貫性を持たせながら文章を展開するために使用される。論理を展開するために、とりわけ現代文学にとっては、接続詞は不可欠なのである。

いろいろな作家の文章を、接続詞だけひろって読んでいくと、その作家の論理展開の方法がよくわかるはずだ。

さて、接続詞が用途によっていくつかに分類されるのはご存知の通りである。おさらいしておこう。

順接――前の文脈から考えて当たり前の後の文脈を導く。
したがって・だから・それで

逆接――前の文脈から考えると当たり前ではない、相反する文脈を導く。
けれども・しかし・だが

並列――前後の言葉が対等の関係にあることを示す。
および・ならびに・また

添加――別の事柄を付け加える。
さらに・そのうえ

説明——前の文脈を例示したり言い換えたりする。
つまり・なぜなら
選択——複数の中からいずれかを選ぶ。
または・もしくは
転換——話題を転換する。
ところで・さて

この他に、「すぐに」「時々」「決して」「ぜひ」「まず」といった副詞もある。話体まで考慮に入れるなら、順接だけで「そんで」「それでもって」「でもって」「んでもって」などという言葉が加わりそうだ。

他にも「けど」「けども」「けどさぁ」「ていうか」「つーか」「なぜかっつーと」などといった表現もある。

どれが接続詞でどれが副詞なのか、あるいはそもそも、接続詞を品詞の一つとして独立させていいものなのだろうか。

そういうことは学者が研究してくれているので、われわれが考える必要はさらさらない。「接着剤のような言葉」があると考えておけばいいのだ。

もっとも東大から文学部が消滅しそうな時代である。文法のことを考える日本人がこの列島に全く存在しない、という日もそう遠い未来のことではないかもしれないが。

東大の国文学の教授である親しい友人が言っていたことがある。

「お前は『古事記』になんて興味はないだろうが、どこかで誰かがそれを研究していると思うと安心できないか？　東大だけの問題ではない。大学から文学部がなくなれば、現代人はひどく孤独な存在になってしまうと俺は思うよ」

おっしゃる通りである。

話がそれた。接続詞に戻る。

たとえば、こんな文章があるとしよう。

「バンドは解散した。だが、僕はソロでがんばっていこうと思う」

この逆接の接続詞「だが」を順接に入れ替える。

「バンドは解散した。だから、僕はソロでがんばっていこうと思う」

あるいはこんな接続詞を入れることも可能だ。

「バンドは解散した。さて、僕はソロでがんばっていこうと思う」

どの接続詞を使うかによって、文章の持つニュアンスが微妙に異なってくるのがわかるだろう。

もっと言えば、それぞれの接続詞によって文章の論理の展開の仕方が異なってくるのである。

今僕は思わず「もっと言えば」という「接着剤のような言葉」を使ったが、これはこの原稿を終わらせるために、論理をたたみ込んでいきたいという願望があるからだ。

もっと言えば、さらに、まさに、言うまでもなく――なんて言葉を目の前の男が使い始めたら、そいつはギアが入った詐欺師かもしれないので、女の人は気をつけてください。

もちろん、学校で習ったと思うが、無駄な接続詞はなるべく使わないほうがいい。だが後で削除するにせよ、ここにどういう接続詞を入れるべきなのかということを考えてみるのは、文章を展開していく上でとても大切なのだ。

文章の論理を組み立てるために接続詞を選択する。原稿を推敲する時に不要な接続詞は削除する――という手順だ。

書いた文章だけではなく、注意深く耳を傾けていると、その人が口癖のように使う「接着剤のような言葉」がある。


「はっきり言うとさ」

「逆に言うと」

「しっかしだぜ」

「けどさ」

「つーかさ」

「にしても」

これらのうち、「つーかさ」と「にしても」は最近の僕自身の口癖だ。「つーかさ」は読みやすいようにそう表記したのだが、じつは「てかさ」と発音する。どちらも友達に指摘されて、初めて気がついた。

「つーかさ、あんまり飲みすぎるのはよくないってことを言いたいわけだよ」
「にしても、そういう態度は横柄すぎるんじゃないか?」

……という具合に使う。

「しっかしだぜ、あんまり飲みすぎるのはよくないってことを言いたいわけだよ」
「はっきり言うとさ、そういう態度は横柄すぎるんじゃないか?」

こちらのほうが、遙かに迫力がある。「つーかさ」や「にしても」が口癖になったということは、かつて断定形でしかものを言えなかった自分が一歩身を引きグチを言うしかない大人になったんだな、という感慨がある。情けない。

【接着剤のような言葉のコレクション】

王朝文学、つまり『源氏物語』や『枕草子』には接続詞と主語が極端に少ない。日本語による文学の伝統は、接続詞と主語なしに形成されてきたのだ。

　これが現代になり「主語と述語が対応していない悪文」を大量に生み出す大きな理由の1つなのだと僕は思っている。

　接続詞がもともとないのだから、日本語でディベートなんて不可能なのだ。

　ここで皆さんに伝えておきたいのは、自分で書いた小説やエッセイの原稿を読み直し、すべての「接着剤のような言葉」をマーカーでチェックしてほしいということだ。それをやってみると、自分の思考のパターンが明瞭になる。

　次に自分が好きな作家の小説で使われている「接着剤のような言葉」のすべてにマーカーでチェックを入れる。すると尊敬する作家の思考パターンが浮き彫りになるはずだ。

　僕が今回記した接続詞の一覧表に、自分がよく使う「接着剤のような言葉」、尊敬する作家が使っている「接着剤のような言葉」を書き加えてください。

　新しい小説を書く時、安易に接続詞を選択するのではなく、この一覧表の中から最適な「接着剤のような言葉」を選ぶようにすること。これだけで作品は、一回りシャープになるはずだ。

　自分自身のための備忘録的に書いておくが、日本語は時制が曖昧なので、語尾が大切だ。この語尾もコレクションしたほうがいいという話を、この後書きたいと思っています。

　文法の話を、読者の皆さんを退屈させずに伝えようと悪戦苦闘しておりますが、大丈夫でしたでしょうか。

主語と述語は愛し合っている

品詞の話というか「助詞音痴」「接続詞音痴」の話の続きである。

日本語文法の基礎を復習しているわけだが、普段使いなれている母語だからこそかえって難しい。文法と言われると身構えてしまいがちだが、文法とは文章を書く時のルール、決まりのことだ。言葉というのは誰かと意思疎通を図る道具なのだから、全くオリジナルな言語というものは存在しない。相手も知っている言葉を、相手が理解できる構造上のルールを守って提示しなければならないのだ。

助詞の問題と「接着剤のような言葉」の問題、その次に多くの作家志望の方がつまずくのは、主語と述語の問題だ。

主語と述語は深く愛し合っている関係なのに、これを無慈悲にも引き離しているケースが多々ある。主語が行方不明になっている述語を探し求めて孤独に陥っているパターンも多い。「助詞音痴」や「接続詞音痴」など話し言葉の場合はほとんど見受けられないのに、主語と述語を切り離してしまうパターンは、政治家のスピーチなどでもとても多いのだ。これは非常に聞き苦しい。

たとえば結婚式のスピーチで、こういうパターンがよく見受けられる。

私は若いお2人が、晴れた日はもちろん、しかし人生は良い時ばかりではありませんので、困難にぶつかることもある、そんな時でも力を合わせて頑張ってほしい。

スピーチなのでこの話者は迷わず「私は」という主語で始め、しかし結局主語と述語が不明瞭のままスピーチが終わっている。

結末を「頑張ってほしいと思います」にすれば「私は」という主語を「思います」という述語が受けて正しい文法が守られるのだが残念だ。

なぜ日本語においてそういうことが起こるのだろうか？　それを考えるために、まず言葉の単位について整理しておこう。

【言葉の単位】

日本語の文章は、いくつかの単位に区切ることができる。長い文章のままでは主語と述語がどこで分断されているのかわかりにくいので、文章を単位に分解してみることが必要だ。

小さな方から、言葉の単位を並べてみる。

単語――言葉の最小単位。
文節――意味をこわさずに文を区切ったもの。
文――まとまった1つの意味があり、句点（。）で終わるもの。
段落――文章をいくつかのまとまりに分けたもの。

文章――いくつもの文が集まっているもの。

ちなみに句読点とは、「。」が句点《くてん》、「、」が読点《とうてん》、2つあわせて句読点《くとうてん》という。

【文節の分け方】

言葉の単位の中で間違いやすく厄介なのが文節だ。

言葉を細かく区切った際に不自然にならない最小の単位（単語とは異なる）を文節という。音声言語的にも区切ることなく、ひと連なりで発音される単位だ。

文節とは、つまり意味をこわさずに文を区切ったものであり、文節に区切る時にはルールがある。それは、1文節の中には1自立語のみというルールだ。

自立語とは、名詞、動詞、形容詞、形容動詞、副詞、連体詞、感動詞、接続詞の8つだ。つまり助詞、助動詞以外はすべて「自立語」ということになる。

例文をあげるが、僕は作家のくせに例文を作るのが非常に苦手である――ということをお断りしておきます。例文というのは内面的な必然性がないので、書きにくいのかもしれない。

雨が降り続いた日、彼女はカフェで占い師に会い運勢を見てもらい、結婚を決めた。

この例文を文節に分けるとこうなる。

雨が／降り続いた／日、／彼女は／カフェで／占い師に／会い／運勢を／見て／もらい、／結婚を／決めた。

文節の分け方だが、「2つ以上の語が結び付いて1つになった語（＝複合語）」は文節に分けず、前の文節に「意味を添える語（＝補助語）」の場合は文節に分ける。

〈降り続いた〉は〈降る〉と〈続く〉の複合語だから文節に分けない。占い師に〈見てもらう〉は、補助語（見て＋もらう）なので文節に分ける。

文節は1つの自立語と不定数の付属語（ない場合もある）でできている。付属語とは、それだけでは意味をなさない単語のことで、具体的には助詞と助動詞のことだ。自立語は単体で意味がある単語で、付属語以外のすべてが該当する。

「走っている」の「いる」は補助動詞で、動詞の仲間の自立語であり、したがって「走って」「いる」の2文節だ。

雨がやみ「晴れ上がりました」は、「晴れ上がり」が複合動詞、「ました」は丁寧の助動詞「まし」と、過去・完了の助動詞「た」なので、「晴れ上がりました」で1文節だ。

――という話は覚えなくてもいいです。そういや中学で習ったよな程度でＯＫ。

迷った時は「ね」を入れるとわかりやすい。例文の「／」の部分に「ね」を入れるのだ。

たとえば「細かい雨」は1分節か2分節か？

「細かい（ね）雨が（ね）」——2文節だとすぐわかる。

「ね」を入れて不自然にならない位置が文節の区切り目なのである。

ここまでは重要な話ではない。忘れていただいて一向に構わない。大切なのは次だ。


【文節の種類】

言葉の単位の1つである文節の働きについて考える。文節の働きには、主語・述語・修飾語・接続語・独立語の5種類がある。

主語——主語とは、文の中で、何が・誰がにあたる文節だ。名詞に「は」「が」「も」などの助詞とセットになり主語になっている場合が多い。

・**私たちは、お喋りしながら歩道を歩いた。**

・**向こうに見える古い建物が映画館です。**

※「私たち」「建物」が主語だ。「古い建物」が主語なのではありません。なぜかというとこれは2文節だからだ。

述語――述語とは、文の中で、「どうする・どんなだ・なんだ・ある」にあたる文節だ。述語は文末にあることが多く、主語を説明する。

・**犬が走る。**

・**僕の犬は大食いだ。**

修飾語――修飾語とは、他の文節をくわしく説明する文節である。修飾語によって説明される文節を被修飾語と言う。

・**母は赤い日傘をさしていた。**

・**非常に眩しい。**

接続語――接続語とは、前後の文や文節をつなぐ働きをする文節だ。接続の関係とは、接続語がつなぐ文と文の関係のことをいいます。

・**急いで歩いた。だから、遅刻しなかった。**

・**急いで歩いた。しかし、遅刻した。**

独立語――独立語とは、他の文節とは直接関係がない文節のことである。独立語とそれ以外の文節の関係を、「独立の関係」という。

・おや、ここにいたのか。
・こんにちは、今日はよい天気ですね。

以上の5つが文節の種類だ。簡単にまとめておく。

主語———「何が・誰が」にあたる文節。
述語———「どうする・どんなだ」にあたる文節。
修飾語——他の文節をくわしく説明する文節。
接続語——前後の文や文節をつなぐ働きをする文節。
独立語——他の文節とは直接関係がない文節。

前述した品詞は、文節よりさらに小さい言葉の単位だということになる。

ここまでの話で最も重要なのは、「主語」の文節と「述語」の文節である。述語が主語を受けていなかったり、そもそも主語が行方不明になったりするのは悪文である以上に、文法的な誤りである。

自分に限ってそんなポカはやるはずがない——と、多くの大人が考えている。しかしそこに大きな陥穽が生じるのだ。

最も美しい日本語を書く小説家は誰だろうか。川端康成ではないだろうか、と僕は思っている。川端の最も有名な小説『雪国』の冒頭部分はあまりにも有名だろう。

国境の長いトンネルを抜けると雪国だった。

（川端康成『雪国』新潮文庫）

国境は「くにざかい」と読む。「こっきょう」ではありません。NHKのアナウンサーが間違えて朗読しているのを聴いたことがあるが、がっかりだ。

美しいというよりも平凡な1行である。もちろん、この平凡な1行を書くために、川端は文章修行を重ねたのである。

ところで、この冒頭部分の「主語」と「述語」の文節はどれだろうか？

述語の方はいい。「抜ける」の文節だ。問題は「主語」の文節だ。

省略されている？

気がつきましたか！　その通りです。主語は省略されている。それが『源氏物語』から続く日本文学の伝統なのであり、川端康成はその美学に沿った1行を書き記したわけだ。

では、省略された主語を補うとどうなるだろうか。

私が国境の長いトンネルを抜けると雪国だった。

これは間違いである。

列車が国境の長いトンネルを抜けると雪国だった。

平凡な1行のように見えて、川端康成が工夫を凝らしていることがよくわかる。これから始まる雪国の美しく哀しい物語のスタートとして、主語の文節を省略したこの冒頭部分はあまりにも素晴らしい。水墨画を見るようではないか。

私が乗った列車が音を立てながら国境の長いトンネルを抜けると、そこは雪国だった。

——などと書いては、全くダメなのだ。

もちろん川端康成でなくても、紫式部や清少納言に連なる多くの日本人が、美しい文章を書こうとするがあまり主語と接続詞を可能な限り省略しようとする。僕らはなんとなく、それが「美しい日本語」を書く方法だと知っているのだ。DNAレベルで知っていると言うべきだ。

ところが僕らが生きているのは自意識が神を否定し去った近代以降である。

そこに大きな問題が生じる。

その問題とは「主語と述語が対応していない悪文」が大量に生み出されてしまうということだ。「主語」の文節と「述語」の文節は愛し合っているのであり、それを引き裂いてはいけない。主語を省略する場合でも、その見えない主語は何かということを書き手は明瞭に意識しなければならない。

それが文章修行の要である。

『雪国』の書き出し部分も、「抜ける」という述語が、省略されて今ここにはいない「列車」という「主語」を追い求めているわけだ。

その愛の強さにこそ日本文学の美が宿るのである。

編集者の仕事は、言ってしまえば「主語・述語訂正職人」である。特に学者の方々の専門的な原稿の場合、訂正が大変だ。彼らは自分の分野の専門家なのであり、プロの書き手ではないからだ。多くの場合、1文が長くなる場合にしっちゃかめっちゃかになるので、そういう人は頼むから1文を短く切るようにしてくれと編集者は思う。川端康成のように？　いや、そこまでは要求しないが短くすれば間違いは少なくなる。

しかし、文学の場合は短くすればいいというものでもない。そこが難しい。

川端康成とガルシア・マルケスが書きたかったこと

まず、ガルシア・マルケスの『百年の孤独』の有名な冒頭部分を引用する。

川端康成の『雪国』とは異なる——しかし同じように見事な書き出しである。単純に言えば、長い。その長さは必要とされた長さなのである。

この奇怪な冒頭の構造を、まず自分なりに考えてみてください。


長い歳月が流れて銃殺隊の前に立つはめになったとき、恐らくアウレリャノ・ブエンディア大佐は、父親のお供をして初めて氷というものを見た、あの遠い日の午後の事を思いだしたにちがいない。

（ガルシア・マルケス『百年の孤独』新潮社／鼓直訳）


なに、これ？

それがマルケスを初めて読む人の感想だろう。僕もそうだった。

日頃読み慣れた日本文学に比べてあまりにも1文が長い。しかも意味がよくわからない。

長い歳月が流れて——いつから？

恐らくアウレリャノ・ブエンディア大佐は——誰がそう言ってるのか？　つまり誰の視点？

初めて氷というものを見た――どういう意味？

いろいろ不可思議だが、しかしこの冒頭の1文でもっとも奇怪なのは文末の「ちがいない」だろう。

冒頭部分の「主部」は言うまでもなく「アウレリャノ・ブエンディア大佐は」であり、述部は「思いだしたにちがいない」である。

普通に書けば「アウレリャノ・ブエンディア大佐」という主語を「思いだした」という述語が受ければいいのだ。だがマルケスはそう書かなかった。

なぜ？

文法的に言えば三人称であり、小説的に言えば神の視点である。だがこの冒頭部分は、普通の三人称小説であれば「思いだした」と断定するところを「にちがいない」と判断を留保している。

つまり三人称の語り手なのだが神ほどには全能ではなく、すべてを知ることはできない。だからこそ語り手が小説世界の中に「いる」感じがする。そこに読者は奇異な感じを受けるのではないだろうか。

すなわち、神の視点というよりは「百年」という時間がこの物語を語っているのだ。そうとしか読めない。

ジャングルにマコンドという架空の街が生まれ、幾世代かの狂騒が大地に飲み込まれ、吐き出される。ビルが建ち、鉄道が走り、壮大な規模のプランテーションが生まれ、長い雨が降り続いた後、最後に一陣の風が吹いて砂埃を巻き上げると、それらは最初から何もなかったように消え去ってしまう。

まるで魔法のようではないか！

そう、ガルシア・マルケスの『百年の孤独』は、マジックリアリズムであるとされている。

マジックリアリズムというのは、日常的なものを非日常的なものに融合させた作品だ。幻想的リアリズム、魔法的現実主義とも言われる。

僕はたまに「マッシュルームリアリズム」と言い間違い、「気持ちはわかるけどさ」と苦笑される。

リアリズムと非現実を同時に表現する技法にシュルレアリスム（超現実主義）というのがあるが、マジックリアリズムは、シュルレアリスムと異なり、フロイトの精神分析や無意識に関する考察とは無関係なのである。その代わりに、民間伝承や神話、その他様々な非合理で非現実的なものとの融合を図っている。

そしてガルシア・マルケスこそはマジックリアリズムの代表的な小説家なのである。

冒頭部分がわかりにくいのは、時間軸がどこに置かれているのかはっきりしないからだ。文法的には何の間違いもないのに、小説の時間が歪められている。マルケスはいわば文法というものを「使役」しているのだ。

三人称における神の視点なのだが、「百年の孤独という時間」がこの物語の視点だと考えた方がいい。

いわばそれはカメラアイであり、この視点は時間の内側にあることはすべて知っている。銃殺隊の前に立つアウレリャノ大佐と、そこに至る彼の長い戦いの過程のすべてを知っているのだ。

だから、書き出しの1文の「時間」が二重にも三重にもなっているのだ。

小説にとって最も大切なのは、何を書きたいのかということだ。それを実現するために、文法というものを「使役」しなければならないのである。川端康成もガルシア・マルケスもそうした。駆け足で大雑把になるが、これまでの文学が達成してきた3つの「書きたいもの」をあげておこう。

①日本文学——美意識の創造

伝統的な日本文学は「あはれ」「をかし」に始まり、「わび」「さび」「雅」「風狂」「粋」などの美意識を積み上げそれを並列的に使用することで作品世界を成立させてきた。いわば花鳥風月の文学だ。

②欧米の文学——真理の追求

欧米では時間を1本の矢印のベクトルのようにイメージし、成長に向けた動的なエネルギーとして捉える。何に向かって成長するのか? 真理に向かって成長するのだ。「美」とは真理の向こう側にある。

ゲーテの『ヴィルヘルム・マイスターの修業時代』が象徴的だが、この小説がその後ヨーロッパで書かれる教養小説の範となった。

③第三世界の文学——日常的なリアリティと神秘を融合させる

南米やインドやアフリカなどでは、神話や民間伝承など大きな時間の流れの中に個々の人間が存在する。インドでは時間とは静的で外的なものであり、人間はその中で淡々と役割を演じる存在だ。ちなみに日本の美意識においては、時間とは移行するものである。すなわち、「うつろふ」ものだ。マジックリアリズムも、非欧米的な時間感覚の中から生まれたのである。そこに、キリスト教文明に限界を感じた欧米人が希望を見出したのである。

大切なのは、まず「何を書きたいか」ということが先にあり、言葉はそれを実現するために創造されたのだということだ。言語が発達したから物語が生まれたのではなく、物語を紡ぐために言語が作られていったのである。

文法は新しい言葉に仕える下僕、召使い、メイドのような存在だ。たとえば「心が折れる」という現代語があるが、これも表現したい実態が先にあり、そのために新しい言葉が作られたのだ。

これも現代語だが、「違くない」と言う若い人達が多い。「違くない」「違かった」「違くて」という言い方が増えている。文法的には、これはもちろん間違いだ。なぜかというと「違う」は形容詞ではなくて動詞だからです。『百年の孤独』も真っ青である！

「違う」という動詞は、違ワない・違ウ・違エば・違ッた・違ッて——という具合に活用する。「違くない」という形は出て来ない。

いっぽう形容詞は、白クない・白イ・白ケレば・白カッた・白クて——と活用する。

「違くない」は、たとえば女子高生たちが、動詞を形容詞的に変換して使っているわけだ。「違う」は活用の上では動詞でも、何かが動いたり止まったりする様を表現するわけではない。「同じではない」という状況を説明する時に用いられるものなので、意味の上では形容詞に近い。

ちなみに英語の"different"は形容詞なのだ。

そこで、動詞である「違う」を形容詞ふうに「違い」とし、無理やり活用させたのが「違クない」「違カッた」「違クて」なのだ。「ちげーよ」という現代語もあった。

繰り返すが、文法とは言葉にとっての召使いなのでありメイドである。したがって、こうした場合文法の方が改変を求められるべきなのだと僕は思う。

「それ、違くない?」と女子高生に言われて、意味が理解できない日本人はいないのだから。

話を戻す。

あなたが書きたいことは何ですか?

言うまでもなく、僕らが生きているのは、シンギュラリティ・ポイントに限りなく近づいた「今」である。

日本の近代文学は三島由紀夫において終わり、大江健三郎において現代文学が始まった——と僕は考えている。最初に大江健三郎の初期短編を読んだ時「何という悪文なのだろう」と思ったことをよく覚えている。「読めねーよな、こんな翻訳小説みたいな悪文」と高校生の僕は思ったのだった。

しかしこれは大江健三郎が、近代文学的な美意識にピリオドを打ち、日本語によってマジックリアリズムを書こうとした結果なのだと今ならわかる。

大江健三郎が悪文だと言うのは、マイルス・デイビスのトランペットが下手くそだと言うのと同じように正しく、同時に間違っているのである。

なぜならマイルスや大江健三郎が達成したのは、イノベーションなのだから。つまり全く新しい表現の枠組みを作ったのだ。大江健三郎は果敢に日本的な美意識に背を向け、時間と空間を歪めるためにあえて悪文を書いたのである。彼の中で「書きたいこと」が明瞭だったことの証拠だろう。

大江健三郎以降だと、中上健次の『枯木灘』『千年の愉楽』などの熊野を舞台にした小説が日本的なマジックリアリズムの成果だと言えるだろう。

村上春樹も、一部マジックリアリズムの手法を導入している。もちろん日本語によるマジックリアリズムは純文学だけに特有のことではなく、エンターテインメントの世界にも大きな影響与えている。とっさに思いつくのは森見登美彦や桜庭一樹だろうか。

自分がどんな世界を描きたいのか、まずそれを考えることが先決だ。やがて書店の本棚に並ぶ、あるいは電子書籍としてAmazonのサイトに掲載される自分の処女作の作品世界のイメージを明確に持つ。そのためにどんな言葉と文法が必要なのかを考えてみてください。

ちなみに僕自身は、高校生だった頃に、悪文を書いてイノベーションを達成するくらいなら、日本の伝統的な美意識に基づいた小説を書いていきたいと決めたのであった。パンクが登場した後もブルースの世界にとどまり続けたローリング・ストーンズを見て、「やっぱりストーンズも俺と同じだな」と思ったものだった。

ビートルズはいわばマジックリアリズム的なロックであり、ストーンズは伝統的な枠組みを守りきったバンドである。華やかに解散していく砂糖菓子のようなビートルズではなく、泥臭く生き延びていくストーンズのビートを、まだ若かった僕は本能的に選び取ったのだろうと思う。

さて、今回の話は地味だったでしょうか。しかし僕らが「今」を書くためには必要な話なのです。次にこれを具体的な話に落とし込みます。具体的な話とは「語尾」の話だ。

川端康成の「雪国」の冒頭部分。


国境の長いトンネルを抜けると雪国だった。


これは「だった」と過去形になっているからこそ、僕らはあの美的な小説世界を想起できるわけだ。

《国境の長いトンネルを抜けると雪国だ。》では、観光案内になってしまう。

ガルシア・マルケスの『百年の孤独』の書き出しの「ちがいない」も、その後に続く小説の全体を決定している。語尾とは、とりわけ時制が曖昧な日本語の語尾とは極めて重要で、少なくとも意図的に語尾を選択する必要がある——ということを次の項で書きたいと思っている。

日本語の文体とは「語尾」である

【文体とはリズム感である】

深夜、文芸学科のかつての教え子と電話で話していた。23歳の女性だ。この頃、太宰治を読んでいると言っていた。

「でも、周りの人が、お母さんとかがいい顔をしないんですよね」

「愛人と入水自殺した作家だからな」

「でもすごくいいですよね」

彼女はコスプレイヤーで、最近までFGOというゲームのアルトリア・オルタなどのコスプレをしていたのだが、この頃は『文豪とアルケミスト』の太宰治を演じているらしい。

彼女の従兄弟が高校生で、川端康成と志賀直哉が好きなのだそうだ。小説の新人賞に応募して、結構いいところまでいっているらしい。

「志賀直哉なんてつまらないよな」と僕。

「そうですよね！」

「でも、小林秀雄は一時期、志賀直哉の家に居候してたんだよな」

……というような話をしたのだが、さて、たとえば太宰治と志賀直哉の差異とは何だろうか？　ストーリーだろうか。もちろんそれもある。しかし、彼らの小説を5行読めばどちらの作品かわかる。

文学作品の本質的な差異とは、きっと文体なのだろう。

文体――よく語られるが、これほどわかりにくい概念もない。

僕がここで言う「文体」というのは、言文一致体や和漢混交体、漢文体などを分類する場合の「文体」ではない。あるいは厳密に言えば、書簡体や会話体といった用途別の区分けでもない。

そうではなく、小説家が独自に持っている雰囲気のようなものだ。曖昧なものだが、これもまた「文体」としか呼びようがない。そして断言するが、読みやすい文章とは読みやすい文体で書かれた文章なのである。

かつて文芸評論家の江藤淳が『作家は行動する』（講談社文芸文庫）という長編評論を書いたことがあるのだが、彼はその本全体を通して「作家は文体で行動するのだ」ということを述べたのだった。

これをわかりやすく解説すると、書き手によって独特なリズム感があるのだということになる。言葉、文章にもリズムやビートというものは存在する。

谷崎潤一郎はこう言っている。

> 或る文章の書き方を、言葉の流れと見て、その流露感の方から論ずれば調子と云いますが、流れを一つの状態と見れば、それがそのまま文体となります。
>
> （谷崎潤一郎『文章読本』）

どうでもいい話だが、『文豪とアルケミスト』というゲームのコスプレで太宰治や芥川龍之介は人気があるのだろうが、谷崎潤一郎はないのだろうな。今度聞いてみよう。

行方不明になった主語を救出し、助詞のケアレスミスを訂正し、豊かな接続詞でドラマティックに論理展開する。

その次に大切なのが、文章の全体をつらぬくリズム感、調子、すなわち文体なのだ。

もちろん谷崎潤一郎のように句点「。」をあまり使用せず、読点「、」だけでだらだらつづけていく文章もある。もちろんこれは天才的な小説家が意図的にやっているわけで、僕ら向きではない。

リズム感のある文章を書くには、句点「。」と読点「、」の打ち方に意識的である必要がある。さらにたとえば句点「。」で区切る短い文をいくつかつづけていき、いきなり長い文を持ってくる、というような構成を考える必要があると思う。

歩いた。僕は歩いた。砂漠の上を歩きつづけた。風を感じて顔を上げると、突然に視界が開け海が広がっているのが見え、今まさに沈んでいこうとする太陽が燃え上がるのを……

例文を書こうと思ったのだが、あまりの下手クソさ加減に嫌になったので途中でやめる。やはり文章というものは内面的な必然性があるからこそ書けるのであって、例文なんてものほど荒唐無稽なものはないということだろう。

音楽でいうと「歩いた。」「僕は歩いた。」「砂漠の上を歩きつづけた。」のあたりはAメロみたいなものだ。たいしたメロディではなく、むしろギターのリフのほうが大切だったりするのだが、このAメロがないと楽曲をスタートできない。

次にくる長い文が、チェンジであり展開部だ。歌の場合ここはだいたい音域が上がりリフレインになっていて、ヒットする曲はこのリフレインのメロディが印象的なものが多い。

またAメロになり、チェンジを挟み、今度は大サビである。

楽曲によっては、チェンジを冒頭に持ってきてAメロを2回つづけ、もう一度Aメロを入れてチェンジ、大サビで締めるなどというパターンもある。

文章を書く場合は、それほど構成をきっちり決めるわけではないが、メリハリをつけるという意味においては音楽と同じである。

この場合、どこで改行するのかということもきわめて重要だ。『「私」物語化計画』の会員の皆さんの原稿や、編集者として著者のゲラを読んでいて「改行しないのかな。改行すればいいのにな。改行しろって！　改行しろって言ってんだろうが！　お願いですから、ここで改行してください……」というような独り言を、僕はいつも言っているような気がする。

こうしたリズム感、ビート感覚、すなわち文体というものは文章を書いては直すという作業を長く積み上げることによって体得するしかないものだ。時には自分が書き終えた文章を音読（声に出して読む）するとか、少なくともプリントアウトして読み直してみるとか、それなりの努力が必要である。

さらに一度獲得したと思った文体も、やがて微妙に変化していくのが普通だろう。それがすなわち「生きる」ということにほかならないのだ。

【語尾の選択に注意すること】

日本語の文体を決定するのは、語尾だと言っても過言ではない。

日本語ではそれほど語尾が重要なのだ。「です・ます」調で書くにせよ「だ・である」調で書くにせよ、語尾の選択は文章の全体を引き締めもするし、だらだらとした頼りないものにもする。

まず「……た。」とか「……だった。」、あるいは「……である。」や「……だ。」というような同一の語尾を使いつづけるのは御法度である。新選組なら切腹ものだと心得るべし。

もちろん、「……た。」を意図的につづけて雰囲気を出す、という方法もある。だがその場合は、書き手がそのことに意図的であるべきだ。

日本語の語尾が面倒臭いのは、これは大切な話なのだが、日本語は時制が曖昧だからである。英語なら決して許されない、過去形と現在形の混在が許される。いやむしろ、意図的に過去形や現在形を使い分けなければならない。

〈彼女はドアを開け、部屋の中に入った。コートを脱いでソファの背にかける。その時、チャイムが鳴った。彼がついてきたのだろうか。踵を返し、彼女はドアのほうへ戻った。〉

またまた下手な例文ですみません。

あ、ここであえて「申し訳ない」ではなく「すみません」と書いたのは、わりと自覚的なつもりである。「だ・である」調に「です・ます」調が混入するのは原則的には御法度だが、それはあくまでも原則にすぎない。原則などというものは破るためにある。

時々話体を混ぜるのは、エッセイを書く際に僕が入手したカードの1枚なのだ。

例文に戻る。読んでいただければわかるように、この短い文章は現在形と過去形が混在している。さらに人称さえもぐらついている。「彼がついてきたのだろうか。」の部分だけ、一人称になっていることに気がつきましたか?

日本語表現はこういうことが許されている。だからこそ自由度が高く、自由だからこそ難しいとも言える。

語尾とは文法的には活用する語の変化する部分を言う。これに対して変化しない部分を語幹と言う。だが、この際そんなことはどうでもいい。とにかく文法上の語尾ということではなく「。」の直前の言葉を自由にたくさん使えることが大切なのだ。

たとえば「……ほかならない。」「……ちがいない。」は、ほんとうはどちらも「……ない。」が語尾なのだが、カードが2枚あると考えよう。

思いつくままにいろいろな種類の語尾というか、文末を締めくくるための表現をあげていこう。

【語尾シート】


「……です。」

「……でした。」

「……でしたよね。」

「……だ。」

「……だよね。」

「……だった。」

「……だったよね。」

「……だったけど。」

「……なのである。」

「……なのだろうか。」

「……ちがいない。」

「……ほかならない。」

「……気がする。」

「……気がしないでもない。」

「……かもしれない。」


「……なる。」

「……なっている。」

「……なるはずだ。」

「……と思う。」

「……と思った。」

「……と思わざるをえない。」

「……と思うほかなかった。」

「……と考える場合もある。」

「……と考えられなくもない。」

「……と考える人がいても不思議ではない。」

「……いけない。」

「……いけないのか。」

「……いけないのだろうか。」

「……すぎない。」

「……すぎないではないか。」

「……すぎないのではないだろうか。」

「……すぎないと言うべきだ。」　「……してみたい。」
「……と知るべきだ。」　「……してみようか。」
「……の地平を切り開いた。」　「……してみようかな。」
「……に等しい。」

このあたりでやめておくが、文末を締めくくるための表現はほぼ無限に存在するのだ。それが「……だった。」しか使われていないのでは、あまりにも淋しい。淋しいという気がしないでもない。淋しいと考える人がいても不思議ではない。淋しいと言う他ないではないか……などと遊んでいる場合ではなかった。

これらの文末を締めくくる表現は、リズミカルな文体を構築する上でも必須なのだ。語尾を集めたあなたが使いやすい【語尾シート】を作成しておいて、その中から選択するのも1つの方法だ。若い頃、僕はそうしていた。

【体言止めを使いすぎるのは黄色信号】

体言止めというのがある。

体言止めとは文章を名詞で終わりにすることだ。もともとは和歌や俳句の技法だったのだが、20世紀になって雑誌文化が花開いた頃から若者達が盛んに使うようになった。

心なき身にもあはれは知られけり鴫立つ沢の秋の夕暮れ
願はくは花のしたにて春死なむそのきさらぎの望月の頃

どちらも西行法師の作である。

「夕暮れ」は名詞であり、この歌は名詞で終わっているので「体言止め」という。「頃」も名詞なので、こちらも体言止めだ。

たとえば「美しい夕暮れ。」と書くと体言止めになり、「夕暮れは美しい。」と書くと形容詞で終わる普通の文章になる。

この2つの文章のちがいはどこにあるのだろうか。

「美しい夕暮れ。」のほうは、突き放した言い方に聞こえる気がする。書き手のエモーションとは別の次元にこの夕暮れというものが存在するようではないか。

だが「夕暮れは美しい。」と書けば、これはまさに書き手の主観そのものだ。

体言止めというのは突き放した終わり方なのだ。

これを西行法師が使うと、何しろ僧侶だし、無常観といったものが感じられる。だがわれわれのような凡人が体言止めを連発すると、文章のリズムも壊れるし、何を言いたいのかよくわからない文章になってしまう。

僕が入ったのは駅前の喫茶店。頼んだのは1杯のコーヒー。やって来たのは可愛らしいウェイトレス。これで500円ならお得。

だから何なんだよ、と言いたくなってくる。

失礼ながら、編集者として雑誌のライターの方に単行本の原稿を依頼した時などに、体言止め連発のエッセイが上がってくるケースがある。僕も雑誌ライターの経験があるのでよくわかるのだが、雑誌は限られた文字数でクールにアイテムを紹介する必要がある。右の例文だって、雑誌に掲載された写真のキャプションならOKだろう。

ここまで書いてきて気がついた。

体言止めは、写真のような表現なのかもしれない。もちろん写真にも客観的な写真と主観的な写真があるだろうが、いずれにしても1枚の写真はあたかも名詞のような「物」としてそこに置かれている。その1枚の写真を描くことで読者を感動させるには、それこそ西行法師ぐらいの年季が必要だと考えるべきだろう。

少なくとも僕やあなたは、西行法師とはほど遠い場所にいる。「私」というものをどう表現するかということで四苦八苦する道程の途中に身を置いているのだ。

だから1つの文章中に2つ以上の体言止めがあったら、黄色信号が灯ったのだと肝に銘ずるべきである。体言止めを選択する場合は、なぜそれが必要なのか考えてみよう。

2章 小説におけるシーンとストーリー

セザンヌとゾラの友情に見る「関係の絶対性」

小説でいちばん大事なのは、まず魅力的な「シーン」を書けるようになることだ。第3編では「何かが終わるシーンを書いてください」という課題を出しておいた。やりましたか?

ヴィジュアル表現に置き換えるなら、シーンは「静止画」「写真」に相当する。

登場人物が同じ時間帯の中で、何かを見る、何かを感じる、何かを決意する、それが小説における「シーン」だ。

言葉でシーンを表現することは、その作家による新しい認識を提示するということなので、丁寧な描写が求められます。描写は自分の潜在意識から紡ぎ出されるので、そこに作家の個性というものがあらわれる。

印象派の画家セザンヌがリンゴの静物画を描いた後、それを見た僕らは、実物のリンゴを見る時でも、セザンヌの絵を前提にしか見られなくなった。

つまり、トレーにのせられたリンゴを見た時、僕らは無意識のうちにセザンヌの絵を想起しているのではないだろうか。

それが「新しい認識」というものだ。

小説家は言語の力によって、それを実現しなければならないのだ。

ちなみにセザンヌが生涯で制作した200点の静物画のうち、60点以上の作品がリンゴを描いたものだ。

「リンゴひとつでパリを驚かせたい」

セザンヌはよくそう言っていたのだそうだ。

そう言えば、セザンヌと小説家のゾラは少年時代からの友達だ。

ゾラはイタリア人の父とフランス人の母の元にパリで生まれ、3歳の時にセザンヌの住むエクス＝アン＝プロヴァンスに引っ越して来る。しかし父親が突然他界し、母子は極貧の年金生活を強いられることとなった。

よそ者の母子家庭、イタリアの血が入ったゾラ。くわえて貧乏ということでイジメられるようになったゾラに、セザンヌは優しかった。

そのお礼にセザンヌはゾラから籠いっぱいのリンゴを贈られたことがあるというエピソードも伝えられている。

話が逸れているが、これが表題の「関係の絶対性」に繋がる予定です。というわけでこのまま続けると、『居酒屋』や『ナナ』で成功し富と名声を得たゾラに対し、画家仲間の間でも協調性に欠け、故郷の南仏エクス＝アン＝プロヴァンスにこもって新しい絵画表現を探求するセザンヌは孤立していた。

当時のセザンヌは父親からの仕送りが頼りで極貧に喘いでいたが、父親に内緒で女性と同棲していたことがバレて、仕送りを半分にされてしまう。

「お前は食わせてやるが女の分まで払う義務はないぞ」

ということだったのだろう。

この頃、セザンヌはもう40歳ぐらいではなかったか。

僕はエクスにセザンヌの取材で行ったことがあるが、かなりの田舎町であり、しかし美しい風景に恵まれた土地だった。セザンヌが子供の頃は具象絵画として、晩年になってからは抽象絵画一歩手前の作品としてよく描いたサント=ヴィクトワール山もここからよく見える。

やがてゾラがセザンヌをモデルにしたとされる小説『制作』（1886年）を発表したことから2人は絶交したとされるが、2人がその後もひそかに会っていたという説もあり、この仮説を元に『セザンヌと過ごした時間』（2016年）という映画が公開されたことがあるが、残念ながら僕はまだ観ていない。

セザンヌが注目を浴び始めるのは遅く、第1回印象派展（1874年）以降であった――というようなエピソードさえ、僕らはリンゴ見る時、思い出すのではないだろうか。

さて、セザンヌのリンゴほどではないにせよ、僕らにも何とか静止画、つまりシーンが書けたとしよう。このシーンには背後で「関係の絶対性」が発動していなければならない。

たとえば「何かが終わるシーン」が書けたとしたら、次にどうすればいいのか。このシーンをコアに据えた小説のプロットを構築すればいいのである。

複数のシーンを重ねていくとストーリーが生成され、小説ができあがっていくが、これを工学的に考えるならば時間軸ができていくということに他ならない。

言語には情報の折りたたみ機能があるので「そして10年が過ぎた」というように、10年間に起きたことを1行で書くこともできる。

しかしいずれにせよ、シーンの積み重ねこそが時間軸を作り、それが小説になっていくのである。ここで考えなければならないのが、時間軸に沿った「関係の絶対性」である。

たとえばこういうことだ。

セザンヌのリンゴは、セザンヌ1人が生み出したものではない。少年時代にゾラからプレゼントされた籠いっぱいのリンゴの鮮明な記憶がなければ、セザンヌはリンゴにこだわらなかったかもしれないのだ。

若くして成功したゾラも、セザンヌという友人がいなければ多くの小説を書くのは不可能だったのではないだろうか。

セザンヌの絵画にはゾラが必要であり、ゾラの小説にはセザンヌの存在が不可欠だったということだ。

関係の絶対性とはそのようなものだ。

そしてセザンヌとゾラの友情が時間軸とともに変化していったように、僕らが描く小説の登場人物たちの関係も時間軸とともに変化していかなければならない。

主人公（セザンヌ）が友人（ゾラ）との深い信頼関係をきっかけに、本気で絵画を志す。ところが同じ友人との関係によって、失意のどん底に沈む。しかしやがて2人は深い理解を取り戻し、さらなるステージへ一歩を踏み出す——という具合に、同じ相手との関係が変化することにより主人公が成長していく様子をストーリー化すればいいのだ。
恋愛小説の構造も、全く同じです。

どんな場面にも物語がある

シーンのストーリー化について、僕の個人的な体験を告白する。

ロッド・スチュワートのソロアルバム"Every Picture Tells a Story"がリリースされたのは1971年のことで、僕はそれから少ししてこの曲を聴いた。これはロッドの3枚目のソロアルバムで、4枚目のソロアルバムが1972年の"Never a Dull Moment"なのだが、僕はそちらを先に聴いてガツーンとやられ、前作も手に入れたのだった。

どちらのアルバムも、全英アルバムチャート1位を獲得した。

その頃の僕は、この曲の主人公のように劣等感の塊で、自分が何をすれば良いのか皆目見当もつかず、簡単に言ってしまえば悩んでいた。

勉強して、いい大学に入学して、一流の会社に就職し、結婚して子供を作り——というような従来の価値観に収まり切れない「私」の存在を強く感じていた。しかしその肝心の「私」というものがどういうものなのか、全くわからなかった。

さらに言うならば、当時の僕には夢が2つあった。

1つは小説を書くこと。もう1つはロックンロールバンドを結成して歌うことだった。しかしこの2つのどちらを選べばいいのかわからない。そんなことで悩んでいる友達など1人もいなかったから、誰に相談できるわけでもない。

ロッド・スチュワートの"Every Picture Tells a Story"は、そんな10代の少年に回答を与えてくれたのだ。

主人公の少年は、鏡の前に立っていると劣等感の固まりになってしまう。髪を何度とかしてみても同じことだと落ち込む。

そんな息子を見た父親が言うのだ。

「世の中を見て来ればいい。家を出て行きたいのなら責めはしないさ。でもひとつアドバイスがある。おまえのパンを食いつくそうとする女には気をつけるんだぞ」

息子は、出発する。

パリは人目を避けるにはもってこいの街だが、ドロップアウトした少年をフランスの警察は放っておいてはくれなかった。人の波に飲み込まれて倒されると、暴動を誘発した罪で逮捕されてしまう。

ローマはつまらない街だった。若者が生きていけるところじゃないと思い知る。体は臭くなるし、少年は怖気づいてしまい、ツキにも見放されてしまう。

今度は東へ行こうと決め、北京のフェリーに乗り、切れ長の目の女と恋に落ちた。上海リルである。東洋の月明かりに照らされながら上海リルが言うのだ。

「ピルは絶対使わないわ。だってそんなのナチュラルじゃないでしょう?」

甲板に誘われ首筋を噛まれ、彼女に出会えてよかった、ほんとうに出会えてよかったと思うのだ。

しかし少年が最後に至る結論は、「俺は結局自分以外の誰も必要とはしていなかった。俺は完璧だと今は心から思うんだ。見てごらん、周りの方がおかしいのかもしれないぜ。あんたの靴の紐を結んでくれるような女には気をつけないと。そんなの時間の無駄だぜ。でもあの切れ長の女は素晴らしかった——」というものだ。

そして旅をしたことで何か役立つようなことが言えるかな、と彼は考えるのだ。ディケンズやシェリーやキーツは引用しないぞ、もうみんな言い尽くされたことだから。

笑いながら最悪の場所から立ち上がればいいんだ、と彼は言う。

そしてロッドはこの長い楽曲の最後のコーラス部分を歌うのだ。

あんたがそう思えなくてもいいんだ
でも、どんな場面にも物語があるんだよ
それを忘れないでほしいのさ
どんな場面にも物語がある
どんな場面にも物語がある

どんな場面にも物語がある……

（Rod Stewart / Every Picture Tells a Story）

一つひとつの場面には物語があり、それをつないでいくと自分という人間ができあがるんだよ――それがロッドの歌を通してロックの神様がくれた啓示だった。“Every Picture”がロックであり、“A Story”が小説だ。

なんだ、同じものじゃん！

少年はそう思ったのだった。

実は今もそう思っている。

その後、僕は本能的に“Every Picture”を集めるようになった。それを大切にした。学校の先生や両親や、必死の思いで恋を告白した当の女の子に叱られても、自分が主人公の映画を見ているようなもので、「こういう展開か。やってくれるもんだよな」などと呑気に考えられた。

“Every Picture”を大切にするというのは、具体的にはノートをつけることだ。何かあると、なるべく丁寧にそのことを記録した。読書ノートだったり、映画の感想文だったり、失恋の記録だったり、ごく稀にはポール・ヴァレリーの「カイエ」まがいだったり。

それは、やがて書くことになる小説の1シーンになった。

それ以上に、少しずつ自分という人間の輪郭がはっきりしてきた。

誰が大切な友達で、誰がそうでもないかということもわかってきた。誰かとの関係で「私」という存在が成立するのだということにも、うすうす気がつき始めた。

シーン、つまりロッドの言う"Every Picture"を重ねていくと"A Story"が生成される。

僕の発見は"A Story"とは小説であり、同時に自分自身でもあるということだ。つまり「私」でもある。

人は表現することによって「私」を作っていく。表現しない人間が「私」と出会うことは難しい。

思えばロッド・スチュワートのこの曲は、僕が初めて出会った表現論であり、自分自身を形成する哲学だったのかもしれない。それは今も僕にとって、ドストエフスキーやニーチェやロラン・バルト以上に本質的で有効な表現論、物語論であり哲学であり続けているのだろう。

ロックから、僕は多くのものを学び続けてきた。

だが不思議なことに、そんなふうにロックを聴いているのは、周囲には僕以外に、数人しかいない。だからこそ、それを伝道するのが「ロック作家」である僕の仕事なのだと思い、この原稿にもロック体験について書いている。

僕を今もインスパイアし続けてくれるこの曲を、あなたも気に入ってくれると嬉しいのだが。

ロックは音楽を超えている。ロックは音楽以上のものなのだ。いつか僕らも、文学以上の小説というものを書かなければならないのだ。

69歳になった今、来し方を振り返り、僕はまだ26歳だったロッドのアドバイスをちゃんと守れただろうかと考える。「どんな場面にも物語がある」というフレーズは、なんとか守ってこられたような気がする。

しかしたとえば「おまえのパンを食いつくそうとする女には気をつけるんだぞ」という父親のアドバイスなどは——と考えると忸怩たる思いがないではない。だが、あまりはっきり書くと私生活に差し障りがあるのでやめる。

でもロッド卿（Sir Rod Stewart）は桁違いで、何度も結婚と離婚を繰り返して子沢山の上、親馬鹿だからなぁ。

本論とは関係ないが、76歳のロッドの言葉を紹介しよう。

「今まで朝起きた時に『ありがとう』と言わなかった日は一度もないよ」

さすが伊達男である。

これからは僕もそうしようと思う。

3章 太宰治『メリイクリスマス』の構造分析

概要とは何か

僕らは言葉を話す生き物だ。あるいは、もっと踏み込んで言えば言葉によって成り立っている生き物である。大切な事実は、その言葉というものが、すべて誰かから教えられたものだということだ。僕らを構成する言語で、オリジナルなものは1つもない。

幼児の頃、「ママ」「パパ」「まんま」「ねんね」「おしっこ」といった言葉を僕らは母親や父親から習う。

これを母語という。

小学校に上がる頃から、もう少しオフィシャルな言葉を身につける。

「1年2組の山川健一です。サッカーが好きです」というような言語だ。

これを父語という。

大人になってからも、多くの場合、僕らは父語を使い続ける。

「御社に最適なソリューションを提供するよう、今日は最善のプレゼンテーションができるよう準備してまいりました」

ビジネス・カンファレンスなんてものに出て、流暢に喋る。

「何をすべきかではなく、どうあるべきかが大切なのです。ドゥーイングからビーイングへ発想を転換することが求められています。さらに討論、すなわちディベートではなく、対話、すなわちダイアローグする組織こそが伸びるのです」

なんて具合に。

しかし、こうした母語と父語で僕らが「私」について考えることは到底不可能なのだ。小説を書くこともできない。では、どんな言葉を使えばいいのだろうか？　僕はそれを「表現の言語」と呼んでいる。

表現の言語は、どこで探せばいいのだろうか？

そいつは、過去の作家達が書いた文学作品の中にあるのだ。

過去の文学書を読み、母語や父語を習ったのと同じように自らの中に表現の言語を吸収し、「私」を構成していくこと。小説を書くという行為は、それが前提となる。

つまり、未来は過去の中にあるということだ。

あなたが描くあなた自身、あなたがこれから書く新しい小説は過去の文学作品の中に眠っているのだ。

だから、読書しなければならない。

しかも、漫然と読むのではなく、攻めの読書をしなければならない。

まず大切なのは、小説を読み「面白かった」とか「感動した」などという文科省が喜びそうな感想はとりあえず封印するということだ。

ではどうしたらいいのか？　それは、純粋にその作品がどんな構造を持っているのかを考えるレッスンをすることだ。構造分析するのだ。

すると、読んだ作品の数だけ小説の設計図を手に入れることができるだろう。その設計図は、あなたが小説を書く上で非常に参考になるはずだ。

やがて「私」というものの設計図も見えてくるにちがいない。

小説の構造分析をするとは、先に述べたように短い枚数で「概要」を書くことが基本である。

小説やマンガを読んだり映画を観たりする時、ポテトチップスを食べながらリラックスした姿勢で臨む――というのは正しい。だが「攻めの読書」「攻めの映画鑑賞」という方法がある。リラックスしていていいのだが、単に面白かったとか感動したとかいうのではなく、作品の構造がどうなっているのかを考えなければならないということだ。

構造分析しながら小説を読むことで、僕らは「母語」「父語」に続く「表現の言語」を学ぶことができる。

構造分析するために、読書感想文ではなく「概要」を400字詰め原稿用紙2枚で書いてみてください。短いが、それ故に小説の要になっているプロットを見つけなければならないのだ。

概要というのは、感想文ではない。したがって「面白かった」とか「感動した」などと書いてはいけない。よく文庫の裏表紙についてるストーリー紹介に近い。ただし、作品の結末部分までをカバーすること。

それがいわば、対象作品の構造図を作るということなのだ。

普段読書する時にも、概要を読み取るレッスンをしていくと、読んだ小説、鑑賞した映画の数だけ構造図がストックされることになり、自分が新しい作品を作る時に貴重な資料になるはずである。

では、具体的な作品にフォーカスして見ていこう。本章では太宰治『メリイクリスマス』を、次章では横光利一『時間』を取り上げる。短い作品なので、この2作品を読んでください。どちらも、Amazon の Kindle 版や青空文庫にあり、無料で読める。「太宰治」「メリイクリスマス」「Kindle」とか、「横光利一」「時間」「青空文庫」と入れて検索してみてください。もちろん、書籍を購入したり図書館で借りればもっとよい。

構造分析

物語は、あるいは小説は、冒頭に欠落がなければならない。

太宰は書き出しの天才だと僕は思うが、それは欠落の提示の仕方が上手いということだ。

この短編は「終戦直後」であるという欠落を1文で示し、だが驚くべきことにそれ以上のことをやっている。

冒頭部分を引用しよう。


東京は、哀しい活気を呈していた、とさいしょの書き出しの一行に書きしるすというような事になるのではあるまいか、と思って東京に舞い戻って来たのに、私の眼には、何の事も無い相変らずの「東京生活」のごとくに映った。

私はそれまで一年三箇月間、津軽の生家で暮し、ことしの十一月の中旬に妻子を引き連れてまた東京に移住して来たのであるが、来て見ると、ほとんどまるで二三週間の小旅行から帰って来たみたいの気持がした。


(太宰治『メリイクリスマス』)


ことしというのは、昭和21年のことだ。

最初の1文が含む情報量の多さはどうだ！　読者を一気に小説世界に引き込み、同時に「本当らしさ」を演出している。

小説というのはそもそもありもしない嘘をさも本当のことのように読ませるところに作家の芸があるわけだが、太宰は「本当のこと」を本気で書こうと生命を賭け、やがて自分の中で何が本当のことでどの部分が演出なのかわからなくなっていった作家だった。

そういうことが、この短い導入部分で示されている。

小旅行から帰って来たと太宰は書くが、その間日本は第二次世界大戦のただ中にあったわけで、女の人には優しいが国家権力には厳しい視線を向け続けた太宰の反骨精神も示されている。

さらに重要なことがある。

普通小説を書こうとする時、僕らは登場人物の輪郭を考えるところから始める。今の言葉で言うならばキャラクター・メーキングから始めるわけだ。

だが太宰治はこの『メリイクリスマス』だけではなく、多くの作品で彼自身が主人公なのだろうと読者に思わせる。つまり私小説なのではないかと読む者に思わせる。

そこに太宰文学の構造上のトリックがある。

太宰治の小説は、全くの私小説ではない。ただし太宰という人は、まず作家としての自分自身のキャラクター・メーキングをするところから始めているのである。ま、常軌を逸しているのだ。

『メリイクリスマス』の主人公は久しぶりの東京で本屋に入る。

私は本屋にはいって、或る有名なユダヤ人の戯曲集を一冊買い、それをふところに入れて、ふと入口のほうを見ると、若い女のひとが、鳥の飛び立つ一瞬前のような感じで立って私を見ていた。口を小さくあけているが、まだ言葉を発しない。

吉か凶か。

昔、追いまわした事があるが、今では少しもそのひとを好きでない、そんな女のひとと逢うのは最大の凶である。そうして私には、そんな女がたくさんあるのだ。いや、そんな女ばかりと言ってよい。

新宿の、あれ、……あれは困る、しかし、あれかな?

「笠井さん。」女のひとは呟くように私の名を言い、踵をおろして幽かなお辞儀をした。緑色の帽子をかぶり、帽子の紐を顎で結び、真赤なレンコオトを着ている。見る見るそのひとは若くなって、まるで十二、三の少女になり、私の思い出の中の或る影像とぴったり重って来た。

「シズエ子ちゃん。」

吉だ。

（同）

このシーンは、「女好きでだらしがない作家」というキャラクター・メーキングがあってこそ成立する。

次の箇所もそうだ。

そうして今夜、五年振りに、しかも全く思いがけなく私と逢って、母のよろこびと子のよろこびと、どちらのほうが大きいのだろう。私にはなぜだか、この子の喜びのほうが母の喜びよりも純粋で深いもののように思われた。果してそうならば、私もいまから自分の所属を分明にして置く必要がある。母と子とに等分に属するなどは不可能な事である。今夜から私は、母を裏切って、この子の仲間になろう。たとい母から、いやな顔をされたってかまわない。こいを、しちゃったんだから。

（同）

母親が昔馴染みで、その娘が若く美しい女性に成長していて――その子に惹かれるのはわかるが、倫理的にあるいは小説の展開としてはいかがなものか。読者を納得させるにはかなりの紙数を費やす必要がありそうだ。

ところがこの作家は〈こいを、しちゃったんだから〉という短い独白で済ませてしまう。

最初にこの箇所を読んだ時、僕は後頭部を鉄の棒で殴られたような衝撃を受けた。だがやがて、「君は若いね。生きたいように生きたらいい」と太宰治が諭してくれているような気がしてきた。

「課題図書の太宰治読みましたが、先生に似ていると思いました」とメッセージをくれた学生がいて、これは実はたまに言われることだ。太宰の恋人で『斜陽』のモデルでもあった太田静子さんにそう言われたこともある。

僕は太宰治の表現やストーリーを真似したことは一度もない。タイトルの影響も受けてはいない。そうではなく、作家としての自分自身をまずキャラクター・メーキングする、という小説の基本的な構造、アーキテクチャーを真似したのだ。それで、何人かの方が太宰ふうだと思ってくださるのかもしれない。

『メリイクリスマス』の続きを書いてほしいと、その学生のメールにはあった。

以前ある出版社の方に、未完の絶筆『グッド・バイ』の続きを書かないかと言われたこともあるが、そんなの無理。

太宰治は達人だった。何の達人なのかは僕にもよくわからないのだが、達人にして文聖だった。

太宰治は僕にとって、遥か彼方の憧れの作家だ。太田静子さんに似ていると言われた時には、「文学の才能が似ればよかったのですが、だらしがない性格だけ似てしまって——あ、いや、ごめんなさい」と僕は答えたのだった。

この先について書くと長くなるので要点だけ書くが、太宰のことを、人生と文学に行き詰まって女と入水自殺した——と世間は思っているが、あれこそが彼の最高のキャラクター・メーキングだったのだろうと僕は思っている。三島由紀夫の死と本質的には同じものだ。

構造の話に戻る。

優れた小説には中盤以降に「隠された秘密の開示」があり、結末に「力学の転換」がある。『メリイクリスマス』ではどの箇所がそれに相当するでしょうか？　考えてみてください。

オンラインサロンだと、こいつを課題にしてレジュメを提出してもらうところだが、単行本だとそうもいかないので、解答を記しておく。『メリイクリスマス』における「隠された秘密の開示」と「力学の転換」とは何か？

「隠された秘密の開示」

母が広島の空襲で死んだという事実。

「力学の転換」

うなぎ屋の屋台で小串と酒を3人分注文する箇所。

いきなり「隠された秘密の開示」と言われて面食らったという人も多いかもしれないが、これは推理小説で言うならば動機に相当する。

小説全体のコアになるものであり、それがなければ作品が成立しない事実、すなわち「秘密」である。読者はストーリーの先を楽しみにして小説を読んでいく。その興味をひっぱっていくのが秘密である。読者は秘密の内容を知りたいと思って読んでいくわけだ。そんな読者が満足できる秘密の開示がないと、「なんだよ。読まなければよかった」ということになってしまいかねない。

どんなにトリックが緻密に描かれていようと、人物描写が巧みであろうと、犯人の動機にシンパシィを感じられなければ推理小説は成立しないのである。

太宰治の『メリイクリスマス』では、伏線として「女好きのだらしがない作家」のダメさ加減がこれでもかというくらいに、あるいはこれはユーモア小説なのかと思わせられるくらい描かれる。

「お家は、ちかいの？」
「でも、とっても、きたないところよ。」
「かまわない。さっそくこれから訪問しよう。そうしてお母さんを引っぱり出して、どこかその辺の料理屋で大いに飲もう。」

「ええ。」

女は、次第に元気が無くなるように見えた。そうして歩一歩、おとなびて行くように見えた。

この子は、母の十八の時の子だというから、母は私と同じとしの三十八、とすると、……。

私は自惚れた。母に嫉妬するという事も、あるに違いない。私は話頭を転じた。

（同）


主人公は徐々にのぼせ上がっていき、とうとうこう思う。


私はいよいよ自惚れた。たしかだと思った。母は私に惚れてはいなかったし、私もまた母に色情を感じた事は無かったが、しかし、この娘とでは、或いは、と思った。

（同）


太宰治は自分自身とおぼしき主人公を徹底的に道化として描いていく。この辺りはもはや名人芸である。

そして、遂に「秘密の開示」の場面がやってくる。

「陣場さん！」と私は大声で、部屋の中に呼びかけた。

はあい、とたしかに答えが聞えた。つづいて、ドアのすりガラスに、何か影が動いた。

「やあ、いる、いる。」と私は言った。

娘は棒立ちになり、顔に血の気を失い、下唇を醜くゆがめたと思うと、いきなり泣き出した。

母は広島の空襲で死んだというのである。死ぬる間際のうわごとの中に、笠井さんの名も出たという。（同）

母が死んだという事を、言いそびれて、どうしたらいいか、わからなくて、とにかくここまで案内して来たのだという。

私が母の事を言い出せば、シズエ子ちゃんが急に沈むのも、それ故であった。嫉妬でも、恋でも無かった。（同）

道化者が主人公の小説は、いきなり沈痛なトーンを帯びる。わずか数行で暗転させる装置を、太宰治が自らの中に備えていたということだ。そうでなければ、この鮮やかな展開のシーンは書きようがないのだ。

つまりこれは、アイディアで書いているのではないということを僕は言いたいのである。

親しかった女が既に死んでいる——その悲しみが先にある。

悲しみを際立たせるために、道化は華やかであればあるほどいいのだ。

この『メリイクリスマス』はそのような構造になっている。

大切なことなので、繰り返しておきます。

女が実は死んでいたというアイディアが先にあってこの小説が書かれたのではないということが重要なのだ。

最初にあったのは「感情」なのであり、次に「仕掛け（アイディア）」が考案され、その結果としてストーリーが構築される。小説を書く順番は、いつもこうでなければならない。

多くの作家志望者が、まずストーリーを考える。それではダメなのだ。

こんな順番だ。

「ストーリー」
←
「仕掛け（アイディア）」
←
「感情」

これではダメです。

「感情」←「仕掛け（アイディア）」←「ストーリー」

――という順番でなければならない。ほんと、ここが重要なので決して忘れないようにしてください。ストーリーなんてものは俺が歩いた後からついてくる、と太宰治は思っていたにちがいない。

力学の転換をどう実現するか

力学の転換についても、言っている意味がわからないという人が多いだろうと思う。要するに、小説の結末部分で登場人物や作品全体の力関係が逆転することを指す。この逆転が鮮やかであればあるほど面白い小説になる。

男が女を支配していると思われていたのだが、じつは女の方が男を支配していたとか、極悪人だと思っていた登場人物がじつは聖者だったというような逆転が必要なのだ。

では『メリイクリスマス』はどのように力学的な転換が行われているのか？　前者か後者か？　それが、どちらでもないのだ。もっと高度なことが実現されており、読者である僕らは舌を巻くほかない。

次の引用箇所を丁寧にチェックしてみてほしい。

「お皿を、三人、べつべつにしてくれ。」

「へえ。もうひとかたは？　あとで？」

「三人いるじゃないか。」私は笑わずに言った。

「へ？」

「このひとと、僕とのあいだに、もうひとり、心配そうな顔をしたべっぴんさんが、いるじゃねえか。」こんどは私も少し笑って言った。

若い主人は、私の言葉を何と解したのか、

「や、かなわねえ。」

と言って笑い、鉢巻の結び目のところあたりへ片手をやった。

「これ、あるか。」私は左手で飲む真似をして見せた。

「極上がございます。いや、そうでもねえか。」

「コップで三つ。」と私は言った。

小串の皿が三枚、私たちの前に並べられた。私たちは、まんなかの皿はそのままにして、両端の皿にそれぞれ箸をつけた。やがてなみなみと酒が充たされたコップも三つ、並べられた。


（同）


この小説は、道化者の主人公が昔馴染みの娘と出会い、ノーテンキに恋をしちゃったんだよななどと思うところから始まる。ところがこれは大きな勘違いで、母親は広島で死んでいたという事実が発覚する。大胆なことを言ってしまうが、ここまでなら俺にも書けそうだよなと僕は思うのだ。

しかし僕なら結末を、娘が部屋に入り、ガラス越しに彼女の姿を眺め、ひとつため息でもついて主人公は歩き去って行く――という具合に締めるしかないだろうと思う。時はあたかもクリスマス・イヴであった、というふうに。

しかし文聖・太宰治はちがう。

娘をうなぎ屋に連れ出し、小串と酒を3人分注文するのである。この展開は、逆立ちしたって僕には書けやしない。これだけの短い紙数で、太宰治は沈痛な悲劇をポジティヴなカタルシスに導いているのだ。

つまりこの短編における力学的転換とは、「沈痛な悲劇」を「透明な悲しみに包まれた幸福」に転換している事実を指す。

この作品の構造はこうなっている。

「華やかな道化者」
←
「沈痛な悲劇」
←
「透明な悲しみに包まれた幸福」

太宰治の多くの短編小説では、同じような力学的転換が実現されている。その構造を理解して驚嘆しつつ、だが誰にもそいつを真似することはできないのだ。

なぜか？

悲しみという太宰が内部に備えていた装置が、僕らの内部には存在しないからだ。

作品の最後に、クリスマスが描かれる。

「ハロー、メリイ、クリスマアス。」

と叫んだ。アメリカの兵士が歩いているのだ。

何というわけもなく、私は紳士のその諧ぎゃくにだけは噴き出した。

呼びかけられた兵士は、とんでもないというような顔をして首を振り、大股で歩み去る。

「この、うなぎも食べちゃおうか。」

私はまんなかに取り残されてあるうなぎの皿に箸をつける。
「ええ。」
「半分ずつ。」

（同）

亡くなった母親の娘とこの作家との間には、この瞬間、恋を超える新しい友情が芽生えるのである。見事と言う他ない。太宰治は女好きだった。確かにそうだ。だがそれ以上に人間好きだった。興味がある方は是非「ヴィヨンの妻」も読んでみてください。

4章 横光利一『時間』の構造分析

つづいて、横光利一の『時間』を取りあげる。読みましたか。いかがでしたでしょうか。

おそらく普段は読むことのない古典的な作品を読まされたと感じた人が多かったのではないでしょうか。しかし、川端康成と横光利一によって支えられた新感覚派が、日本の現代文学を切り開いたのだ。2作品の構造分析がつづくのはちょっとシンドイと感じる方もいるかもしれないが、これはナラトロジーの基本を実践的に学ぶ上で有効なので、がんばってください——と切に祈る。

小説を読み、感想ではなく「概要」を記せという課題には、もちろん意味がある。

われわれは小学校から高校、大学に至る教育過程で、いくつもの読書感想文を書かされてきた。それは文科省が指導する情操教育の一環で、「主人公の努力に感動した」「友情ほど大切なものはないのだと思った」などと書けば文科省お墨付きの良い子だということになり良い点がもらえたわけだ。

しかしそんなふうに読書している限り、僕らは一歩も前に進むことができない。なぜなら、すべての文学はインモラル——背徳的な表現なのであるから。

「概要」とは感想文とは全く異なり、対象作品の構造を明確にすることで書くことができるものだ。「概要」を書き記すのは作品の設計図を明らかにするためのレッスンなのだ。

あなたが自分の作品のプロットを書く時、過去の作品の「概要」という名前の設計図が必ず役に立つはずだ。

さらに言うならば「概要」は、あと半歩進めれば批評になる。大学の文芸学科でも、夏休みの課題としてエミリー・ブロンテの『嵐が丘』の概要を書かせると、学生たちは見違えるほど成長したものである。

そんなふうに本を読むことを、僕は「攻めの読書」と称しているわけだ。

それでは今回の対象作品である『時間』の構造を見ていこう。

すべての物語は欠落がないと始まらない、ということについては既に書いた。ではこの作品の「欠落」とはなんだろうか？

冒頭近くに、こんな文章がある。

　私達を養っていてくれた座長が外出したまま一週間しても一向に帰って来ないので、或る日高木が座長の残していった行李《こうり》を開けてみると中には何も這入《はい》っていない。さアそれからがたいへんになった。

（横光利一『時間』）

『時間』における欠落とは、行李の中身が象徴する座長の不在である。優れた小説は皆そうだが、さすがに横光利一だなと僕は感嘆する。

欠落、欠如、すなわち今ここにない物を、できれば「物」で象徴しなければならないのだが、開けてみると何も入っていない行李というのは卓越した設定である。何も入っていない行李からこの心理小説はスタートするわけだ。

したがって、短い紙数で概要を書くのは大変だとは思うが、この「行李」は拾ってほしい。

次に、むしろ弱々しい最初の敵「橋守」を倒すことで主人公は出発を遂げるのである——という物語の原則に則した箇所はどこにあるだろうか。

皆で逃げれば一人や二人追っかけて来たって恐くはなし、そのうちにうっかり逃げ遅れて自分一人とり残されたりした日にはどんな目に逢わされないとも限らないのだから誰もかれも今度はかたく一緒に逃げることを誓い合った。

（同）

彼らは、宿屋の主人から逃げるのだ。別に監獄から脱走するわけでもなく、相手はヤクザや暴漢でもない。ただの宿屋の主人であり、しかし逃走を決行すれば彼ら全員が1本のラインを越えてしまったことになる。

つまり「橋守」を倒してルビコン川を渡ったことになってしまうのだ。

かくして、彼らは旅立ちを遂げるのである。

純文学だろうがエンターテインメントであろうが、怒りや悲しみや不安を抽象的なまま放置してはいけない。それらの感情を象徴する「物」に落とし込まなければならないのだ。

さて『時間』における「隠された父の発見」、あるいは「隠された秘密の開示」はどこに相当するだろうか。

それは複数の男女の関係が入り乱れ、口論がナイフを持った殺し合いにまで発展するシーンだろう。この場面でも、入り組んだ男女関係を短い文章で的確に表現している。

彼らは腹が減り、へとへとに疲れ、殺し合いはやがてごく自然におさまっていく。

これは、「父を許す」というパターンのバリエーションだと考えればいい。

そして小説は結末部分になだれ込んでいく。

小説の結末にはカタルシスが必要である。

多くの場合、力学的転換がもう一度果たされ、その直後にカタルシスがやってくる。『時間』の場合はどうだろうか。


そうして幾度となく私達は眠ったり醒ましたりし合っているうちに、私達の小屋の外でもそれに従って変化が着々と行われていたと見えて、いつの間にか雨もやみ、天井の崩れ落ちた壁の穴から月の光りがさし込んで蜘蛛の巣まではっきり浮き上っているのを発見した。

（同）

岩の匂いに満ちた清水が五百羅漢のような一同の咽喉から腹から足さきまで突き刺さるように滲み透って生気がはじめて動き出して来ると、私も皆と一緒に月に向ってこれこそ明瞭に生きていることだと感じるかのように歓声を洩してはまた岩の間へ口をつけた。

（同）

横光利一は日本文学を書きながら、海外文学の成果にも敏感に反応した作家である。この『時間』は明らかにキリスト教文学における神と人間の関係を意識している。ヨーロッパの近代文学を、仏教ベースにすることにより、日本に移植しようという試みなのである。したがって「五百羅漢」はこの小説において重要な存在なのである。

さらに、前述したが、仏教における尊い存在である「羅漢」は、前半の「餓鬼」と対になっており、この小説は「餓鬼」が「羅漢」に昇華する様がカタルシスを形成しているわけだ。

小説の構造としては、欠落が極まった結果、登場人物たちは「餓鬼」になり、それが解消されたことの象徴として「五百羅漢」が出てくるわけです。

「餓鬼」から「五百羅漢」への昇華というのはいわば言語表現としてのメタファーで、その具体的な内容は、座長の不在と空腹という欠落が、清水を飲み「これこそ明瞭に生きていることだ」と実感することで生理的にも精神的にも充足するというところに帰結する。

こういう展開を、僕は「カタルシスが描かれている」と表現しているわけだ。

私には遠く清水の傍からつぎつぎに掛け声かけながらせっせと急な崖を攀《よ》じ登って来る疲れた羅漢達の月に照らされた姿が浮んで来ると、まるで月光の滴りでも落してやるかのように病人の口の中へその水の滴を落してやった。

（同）

僕は若くしてデビューしたので、原稿料をもらって小説を書きながら、小説作法を学ぶということの連続だった。

振り返ると無謀もいいところだが、横光利一を真剣に読んだのは三人称の使い方がよくわからなかったからだ。横光利一ほど三人称の使い方が巧みな作家を僕は他に知らなかった。それで、高校生の頃読んだ横光利一全集をひっぱり出してきたのだ。修学旅行には行かないからと言って教師に返してもらったお金で買った全集である。

やがて人称の問題を離れ、横光作品に没頭するようになった。

今では横光利一の意志の力と忍耐力に頭を垂れるしかない。この『時間』と川端康成の『名人』は、強い意志の力がなければ小説を書ききることはできないのだということを僕らに教えてくれる。

さて、この構造分析を読んだ上で、もう一度『時間』を読み返してみてください。それこそが攻めの読書なのです。

5章 小説の終わらせ方

エンディングのヴィジュアルを考える

あなたは既に小説を書き始めた。その作品を中途で投げ出してはいけない。つまり、終わらせなければならない。

そこで視点を変えて、どうしたら小説を書けるのかという問題のフェーズをずらしてみる。どうしたら小説を終えられるのか——という視点を導入する。

まず、最初に何があるか?

プロットにせよストーリーにせよ、「何か」がなければ発動させようがない。

最初にアイディアでもいいし想いでもいいし、何か漠然とした雲の固まりみたいなものがある。それについてずっと考えていると、雲は固まり、水滴なようなものが生まれる。

その水滴が小説を書くための言葉だ。

水滴を集めると水溜まりができて、やがてそいつは低い方に流れ始めるだろう。水の流れがストーリーだ。川は海に流れ着くわけだが、あなたの小説はどこでどんなふうに終わるのだろうか?

それがはっきりしないから、いつまでたっても小説が完成しないという不具合が生じる。あるいは本人は作品を終わりにしたつもりでも、読者からすると曖昧なままで未完だということが多い。

音楽が終わるように、小説も終わらなければならない。その終わらせ方の技術について、僕が考えていることをお伝えしようと思う。

勝負は最後の数行である。

ま、これは1パラグラフでもいいわけだが、とにかく結末部分を書けた人だけが小説を完成させることができて、作品の出来不出来はともかく、次の作品に進めることになる。これが書けない人が、途中で放棄した原稿の山を築くことになる。

どんなに不恰好でも構わないから、一度書き始めた小説は書き終えなければならない。なぜか。途中で書けなくなるには具体的な原因があるはずだ。ハードルと言っても良い。描写力が足りないのか、構成力が足りないのか、キャラクター・メーキングが甘いのか。いずれにしても途中でやめてしまうと次の作品でも同じハードルにぶつかってしまうのだ。

強引にでも作品を完成させれば、そいつを後で自分で読み返すことで「このハードルの飛び越え方は少々不恰好だったな。次は気をつけよう」ということがわかる。

つまり自分の欠点がわかり、次回はそれを克服したもっと良い作品を書ける可能性が高いということだ。

というわけで、小説を書き終えることができる最後の数行は非常に重要なのだ。

結末部分を書く方法はいくつか存在する。

概念を映像化して終わらせる。
作品全体の思想をさらに展開して終わらせる。
喪失感の表現で終わらせる。
喪失感を克服した希望の表現で終わらせる。
世界と一体化して終わらせる。
世界から零れ落ちることで終わらせる。
作品を数行で一気に逆照射することで終わらせる。つまりドンデン返し。

こんなふうに羅列しても、うまく伝わらないと思うので、先行する作家たちの結末部分を順番に具体例として挙げていこう。

概念を映像化して終わらせる

概念というと難解なようだが、よくテーマと言われるものだ。しかし作品を書いている作家自身は、テーマなどという大層なことを考えているわけではないのにな、と思うことがしばしばだろう。

ウラジーミル・ナボコフは『ロリータ』の巻末でこう書いている。

文学の教師というものは、とかく〝作者の意図は何か〟とか、さらにひどいのになると、〝この作者は何を言わんとするのか〟などといった問題を持ち出したがるものだ。ところが、あいにく私は、作品を書きだすにあたって、すこしも早くそれを片づけてしまいたいという以外には何の意図も持ち合せず、作品の生れや育ちについて説明を求められた場合には、〈霊感《インスピレーション》と組合せ《コンビネーション》の相互反応《インターリアクション》〉といった古めかしいきまり文句――これは手品師があるトリックを説明するのに別のトリックを用いるのと似たりよったりだということは私も認める――に頼るしか能のない部類の作家に属する。

（ウラジーミル・ナボコフ『ロリータ』新潮文庫／大久保康雄訳）

作者の意図、何を言わんとしたか、作品のテーマなんてものは作家自身がいちばんよくわかっていないのだ。それがわからないから暗喩や直喩にこだわるわけで、だからここではわざと無味乾燥に「概念」と記しておく。

なんだかよくわからないが、小説の全体を通して自分が表現したい「概念」というものがあり、結末部分でそれをヴィジュアル化して作品を終える。

具体例を2つあげる。

水を浴びて黒い焼屑《やけくず》が落ち散らばったなかに、駒子は芸者の長い裾を曳《ひ》いてよろけた。葉子を胸に抱えて戻ろうとした。その必死に踏ん張った顔の下に、葉子の昇天しそうにうつろな顔が垂れていた。駒子は自分の犠牲か刑罰かを抱えているように見えた。

人垣が口々に声をあげて崩れ出し、どっと二人を取りかこんだ。

「どいて、どいて頂戴。」

駒子の叫びが島村に聞えた。

「この子、気がちがうわ。気がちがうわ。」

そう言う声が物狂わしい駒子に島村は近づこうとして、葉子を駒子から抱き取ろうとする男達に押されてよろめいた。踏みこたえて目を上げた途端、さあと音を立てて天の河が島村のなかへ流れ落ちるようであった。

（川端康成『雪国』新潮文庫）

あまりにも有名な『雪国』の結末である。

川端康成の『雪国』は難解だとよく言われる。確かに主人公の島村と芸者の駒子がいつ肉体的に結ばれるのかということさえ、何度も読み返さないとよくわからない。

ラストは火事のシーンである。東京に妻子がありながら、駒子と葉子という2人の女性に惹かれる島村は、駒子をこのようにしてしまったのは自分だと責め、今度帰京すればもうこの雪国には来ないと決心する。

何かを察したのか、駒子は「あなたが帰ったら、わたしは真面目に暮らすの」と話す。身投げした葉子を抱きしめる駒子を見た島村は、これが自分の犯してきた罪に対する罰なのだとよろめくのである。

小説の最後は「音を立てて天の河が島村のなかへ流れ落ちるようであった」という1文で締めくくられている。

目の前で燃えている建物、葉子が身を投げ、駒子が駆け寄って抱きしめている――そんな状況下での天の河は美しくもあるだろうが、熱く激しいものでもあるだろう。燃える星々はおそらく主人公が雪国で行ってきたことに対する罰として降りかかるのである――と解釈してしまうとつまらないわけだが、この小説の「概念」を映像として美的に表現しているのである。

それが、天の河である。

火事のシーンと天の河がなければ、川端康成は『雪国』を終わらせることはできなかった。それだけ、この映像は大切だということだ。

もう1作、川端康成の親友で新感覚派の仲間でもあった横光利一の『春は馬車に乗って』の結末部分を見てみよう。

海面にはだんだん白帆《しらほ》が増していった。海際の白い道が日増しに賑やかになって来た。或る日、彼の所へ、知人から思わぬスイトピーの花束が岬を廻って届けられた。

長らく寒風にさびれ続けた家の中に、初めて早春が匂《にお》やかに訪れて来たのである。

彼は花粉にまみれた手で花束を捧げるように持ちながら、妻の部屋へ這入《はい》っていった。

「とうとう、春がやって来た」

「まア、綺麗だわね」と妻は云うと、頬笑みながら痩せ衰えた手を花の方へ差し出した。

「これは実に綺麗じゃないか」

「どこから来たの」

「この花は馬車に乗って、海の岸を真っ先きに春を撒き撒きやって来たのさ」

妻は彼から花束を受けると両手で胸いっぱいに抱きしめた。そうして、彼女はその明るい花束の中へ蒼ざめた顔を埋めると、恍惚として眼を閉じた。


（横光利一『春は馬車に乗って』）


この短編は名作である——と読み返す度に僕は思う。

胸の病で妻は死につつある。その看病は並大抵の苦労ではない。時には諍いになり、主人公は妻を傷つけてしまう。傷つけ、すぐに悔やみ、生と死について思いを巡らせる。

やがてついに、妻の生命は終わる。時あたかもその瞬間に、春がやってくる。春を知らせるスイートピーの花束がやってくるのだ。

この小説のテーマは何だろうか。それはよくわからないが、横光利一の実体験に基づいたこの小説の

「概念」を映像化したのがこの結末のシーンなのである。

作品のタイトルにもなった「春」「馬車」「花」の映像がなければこの短編小説は成立しない。いかに映像というか、イメージが大切かということがよくわかるだろうと思う。

太宰治は書き出しの天才だと僕は思っており「書き出しだけでいいから太宰治の短編を読め」とよく学生達に言ったものだが、新感覚派の川端康成と横光利一は結末を美的に締めることにかけては右に出る者がおらず、それが日本文学の枠組み、パターンを作ったのだと思う。

エンディングのヴィジュアルを考える。

それはとても重要で有効な方法なのです。

「概念を映像化する」のは初心者でもやりやすい、とっつきやすい手法であると思う。僕も無意識にこのパターンを多用している。ただしそれを美しく印象的に書けるかどうか、川端康成や横光利一に迫れるかどうかは別問題だ。それを可能にするのは「描写」で、こいつを身につけるためにはレッスンし続けるしかない。

作品全体の思想をさらに展開して終わらせる

小説と「お話」は違う。このことが身に染みて理解でき、そして苦労しているなら、あなたは一人前に近づいているということだ。

小説の難しいところは、思うに、2つあるような気がする。1つは、小説は無限に続く時間や空間のある特定の部分を切り取らなければならないということだ。

写真を撮るのによく似ている。

スマホで花を撮る場合。

クローズアップして撮ろうとしたら葉についた雨の水滴が美しいことに気づく。少し引きにすると、しかし花本体の魅力が半減しそうである。

そこでもう一度スマホを花に近づける。

シャッターを押す。

画面上には、その内部に光をため込んだような葉の上の水滴は写っていない。写真を撮るのは画面の外にはみ出てしまう世界にお別れを言う作業なのだ。小説もこれと同じで、主人公の生活の、あるいは行為の、すべてを描くことは不可能である。

そこで写真を撮る時と同じように、「お話」ならダラダラとすべてを語れば良いところを、カットして簡潔にする。そういうことが必要なのだ。

もう1つ、小説は面白くなければならない。小説は言葉がシリアルに並ぶことで成立するので、最初から順番に読んでいくしかない。文章が下手だったりストーリーがだらけていたりすると、読者はパタリと本のページを閉じてしまう。

なんとか最後まで読み切り、「へえ、こんなこともあるんだ」という感想だけで終わってしまうならそれはいい小説とは言えない。

感動するのでもギョッとするのでも、喜びに満たされるのでもいいのだが、インパクトがなければならない。

繰り返すが、小説は「①現実世界を効果的に切り取ること」が必要で、しかも「②面白くなければならない」のである。

そこで問題になるのが「結末」なのである。

今回紹介する「作品全体の思想をさらに展開して終わらせる」という方法を身につければ、この2つを実現させることが可能である。

話が抽象的ではわかりにくいので、日本文学と海外文学から参考例を1つずつ挙げる。

谷崎潤一郎が20代半ばで書いたごく初期の短編の『秘密』と、19世紀フランスのオノレ・ド・バルザックが1835年に発表した代表作『ゴリオ爺さん』である。2作品の構造を是非とも体得してほしい。

ただしネタバレになるので、そこはご容赦ください。

【谷崎潤一郎の『秘密』の結末が凄い！】

谷崎の『秘密』は、普通の刺激に飽きてしまった男が美しく女装して町に繰り出したり、再会した昔の女の秘密の住居に目隠しをしたままで赴いたりするストーリーだ。

まず冒頭部分を紹介する。

その頃私は或る気紛れな考《かんがえ》から、今迄《いままで》自分の身のまわりを裹《つつ》んで居た賑やかな雰囲気を遠ざかって、いろいろの関係で交際を続けて居た男や女の圏内から、ひそかに逃れ出ようと思い、方々と適当な隠れ家を捜し求めた揚句《あげく》、浅草の松葉町辺に真言宗の寺のあるのを見附けて、ようよう其処《そこ》の庫裡《くり》の一と間を借り受けることになった。

（谷崎潤一郎『秘密』冒頭）

主人公の「私」にとっての欠落は、賑やかな雰囲気の交友関係や日常である。つまり恵まれた生活が失われてしまうのである。

主人公は秘密の生活を持つことに快楽を感じている。人目のつかない浅草のある寺に住み始める。そこが自分が身を隠すにはもってこいの場所だと考えたからだ。

最初は部屋で奇怪な書を読んだり、古い仏画を壁に飾り、香を焚いて生活していたのだが、ある日、ウイスキーで酔いながら散歩に出かけると、古着屋で見かけた女物の袷《あわせ》を着て往来を歩いてみたいという欲望に駆られる。

彼はその袷を買い、化粧を施し、女の姿になって夜道へ繰り出した。誰も怪しむ者もなく、いつも見慣れている光景も新しく思えてくる。

主人公は毎晩のように女装をして出かけるようになり、次第に大胆になり、1週間ほど経った頃、いつものようにウイスキーを煽り、山友館の2階の貴賓席に上がり込むのである。

隣には男女が腰掛けた。芸者のようにも見える女は、26、7の美貌の持ち主だった。その女は、主人公が2、3年前に上海に旅行する途中の汽船の中で関係を結んでいたT女だった。住所も名も名乗ることはなかった。

当時、女は主人公に恋い焦がれていたのだが、主人公は上海につくと姿をくらましました。

ここで谷崎潤一郎にしか書けない倒錯した心理が描かれる。

主人公はその女の美しさを隣に見て、自分の扮装を卑しいと感じるのだ。場内の人々の視線はその女に注がれており、かつて自分が弄んで捨てた女に対し、嫉妬と憤怒を感じ始める。

同時に再び男としてその女を征服してやりたいと考え、次の日もこの席に来て自分のことを待つようにという走り書きの手紙を密かに女の袂に投げ込む。

女は帰り際に耳元で「Arrested at last」（とうとう捕まった）と囁いた。

女は気づいていたのである。

寺へ帰ると、主人公の頭巾の裏から紙切れが落ちた。その紙切れには、彼女が初めから気づいていたこと、明日会うことに異存はないが、自分に都合があるため、雷門の前で待っていてくれれば、車夫を迎えに行かせること、住む場所を知られてはいけないため、目隠しをさせてもらうことなどが書いてあった。

それから主人公は毎晩のように目隠しをされて女の元に通うようになる。

やがて、女の家がどこにあるのかを知りたくなってくる。女の家に向かう途中、目隠しを外してほしいと懇願すると、女は少しだけ目隠しを外し、周りの景色を見せてくれた。

その繁華街は、全く見覚えのないものだった。

主人公は後日、雷門の前に立ち、いつも進んでいると思われる方向に進んでいく。目隠しをして車に乗せられている時の感覚を頼りに往来を進んでいくと、一度だけ目隠しを外した通りを見つけるのである。

そうして、遂に女の家を見つけ出す。

これがいくつかのイニシエーションを経た後の「隠された秘密の開示」だ。

結末部分を引用します。


思わず嘲るような瞳を挙げて、二階を仰ぎ視ると、寧ろ空惚《そらとぼ》けて別人を装うものの如く、女はにこりともせずに私の姿を眺めて居たが、別人を装うても訝しまれぬくらい、その容貌は夜の感じと異って居た。たッた一度、男の乞いを許して、眼かくしの布を弛《ゆる》めたばかりに、秘密を発《あば》かれた悔恨、失意の情が見る見る色に表われて、やがて静かに障子の蔭へ隠れて了《しま》った。

女は芳野と云うその界隈での物持の後家であった。あの印形屋の看板と同じように、凡《す》べての謎は解かれて了った。私はそれきりその女を捨てた。

二三日過ぎてから、急に私は寺を引き払って田端の方へ移転した。私の心はだんだん「秘密」などと云う手ぬるい淡い快感に満足しなくなって、もッと色彩の濃い、血だらけな歓楽を求めるように傾いて行った。

（谷崎潤一郎『秘密』結末）

若い頃この部分を読んで雷に打たれたような衝撃を受けた僕は、「見よ！」と自分自身に言った。「ここに小説的な意志の明瞭な表現がある。俺もこんなふうに書かないとな！」と。

大切なのはもちろん《私の心はだんだん「秘密」などと云う手ぬるい淡い快感に満足しなくなって、もッと色彩の濃い、血だらけな歓楽を求めるように傾いて行った》の箇所だ。

『秘密』は短編もしくは中編で、広い世界を丸ごと書けるサイズではない。しかしこの最後の部分が書かれたことで、この主人公の未来にわたる様々な事柄が想起される。

何よりも、「血だらけな歓楽を求める」と結ばれていることで、面白い小説になっている。これがなければ、美的だがどこか作りものめいた小話のようで、こんな強烈なインパクトを読者にもたらさないだろう。

作品全体の思想をさらに展開して終わらせると少し固苦しく書いてしまったが、主人公の意志や欲望の表明でいいわけだ。

主人公は小説が切り取った世界に安住してはいけないのだ。そこから身を起こし、力を振り絞って次のステージを目指すことで、そこまでに書いた原稿もとても魅力的に見えるようになる。

【『ゴリオ爺さん』でパリに勝負を挑んだラスティニャック】

小説の舞台は、パリのヌーヴ＝サント＝ジュヌヴィエーヴ通りにある下宿屋ヴォケール館である。

この館の住人の中に、法学生ウージェーヌ・ド・ラスティニャックがいる。

それに、ヴォートランという名の謎めいたアジテーター、隠居した製麺業者のジャン・ジョアシャン・ゴリオという老人がいた。

ゴリオ爺さんはいつも他の下宿人たちから嘲り笑われていたが、彼らは程なく、この老人が上流階級に嫁いだ2人の娘に金を工面するために破産してしまったのだということを知るのである。

南フランスの田舎からやって来たラスティニャックは上流階級に憧れを抱いており、社交界の花形だったボーセアン子爵夫人に処世術の手ほどきを受ける。

そして彼女の紹介で知り合ったゴリオ爺さんの娘の1人、デルフィーヌ・ド・ニュシンゲンに惹かれていく。それで、田舎からのなけなしの送金を使い込んでしまったりする。

ヴォートランは、ヴォケール館に住む娘、ヴィクトリーヌを恋するようにラスティニャックにしきりに勧める。兄のせいで幸せをつかみ損ねているヴィクトリーヌのために、ヴォートランは決闘で兄を殺してラスティニャックの前途を開こうと言い出す――が、長くなるのでこの辺りは割愛します。

ようするにヴォートランは悪党なのだ。

ゴリオ爺さんは、ラスティニャックが自分の娘に恋をしていることには好意的であり、デルフィーヌが夫に虐げられていることに怒りを覚えている。

もう1人の娘のアナスタジーが、恋人の借金のために家の宝石を売ってしまったことを知ると、この老人は自分の無力さに打ちひしがれ、悲しみのあまり卒中になってしまった。

閑話休題。

この作品に限らずバルザックの小説では、上流階級や社交界にこそ価値があり、いかに社交界デビューするかということに登場人物達は腐心し、それを疑うことはない。そのキャラクター・メーキングも「貴族」「貴族たちを凌ぎ始めたブルジョア（商人、金融業者など）」「医師」「学生」「田舎の人達」といった属性によっている部分が大きい。

人間の内面の洞察によるキャラクター・メーキングはドストエフスキーの登場を待たなければならないのだが、「キャラクター・メーキングの文学史」についてはまた別の機会にきちんと書きます。

小説に戻る。

ゴリオ爺さんが死の床にあるのに、上流階級に嫁いだデルフィーヌもアナスタジーも見舞いにはやって来ない。娘たちの不孝に激怒しながらゴリオ爺さんは死んでいく。

ゴリオ爺さんの葬儀に列席したのはラスティニャックと召使のクリストフ、それに2人の雇われ泣き男だけであった。

この長い小説の最後の部分を引用する。

ひとりあとに残ったラスティニャックは、何歩か歩いて墓地の高みに昇り、セーヌの両岸に沿ってうねうねと横たわっているパリを見おろした。すでに灯がともりはじめていた。彼の目はほとんど食い入るように、ヴァンドーム広場の円柱と廃兵院の円屋根にはさまれたあたり、彼がはいりこもうとしたあの上流社交界の棲息している地域に注がれた。彼は蜜蜂の巣のようにうなりをあげているその世界に、あらかじめその蜜を吸いとろうとするかのような視線を投げかけて、つぎのような壮大な言葉を吐いた。「さあ今度は、おれとお前の勝負だ！」

そして《社会》にたいする最初の挑戦的行為として、ラスティニャックはニュシンゲン夫人の屋敷へ晩餐をとりに出かけた。

（『ゴリオ爺さん』平岡篤頼訳、新潮文庫／結末部分）

重要なのは「さあ今度は、おれとお前の勝負だ！」というラスティニャックの台詞である。なんてカッコいいのだろうか！

この短い言葉が、小説は「①現実世界を効果的に切り取ること」と「②面白くなければならない」という2つの条件を満たしている。

ちなみにバルザックの場合は未来を暗示するというレベルを超えて、ラスティニャックその人が『従妹ベット』『アルシの代議士』など後の別の小説にも登場する。それによると彼は大臣を歴任し、勅選貴族院議員伯爵にまで上りつめるのである。

バルザックは自分の90篇近い著作を『人間喜劇』としてまとめたが、もちろん『ゴリオ爺さん』も『人間喜劇』の中の重要な作品でもある。

ラスティニャックだけではなく、２００人以上の人物がふたつ以上の作品に登場する。

これをバルザックの人物再登場という。

パリに勝負を挑んだラスティニャック――というのがこの作品の結末であり、この発想が『ゴリオ爺さん』を魅力的な小説にしているのだし、やがて登場する『人間喜劇』の成立を可能にしたのである。

【エジソンが発明した電気を誰もが使えるように】

前述した「概念を映像化する」のは初心者でもやりやすい手法である。それを川端康成や横光利一のように美しく印象的に書けるかどうか、これは僕ら個々人の努力にかかっている。

そして「作品全体の思想をさらに展開して終わらせる」のはプロットの段階でも構想できるはずだ。

よく初稿ができあがった時に言われるのは、「書き出しを5行切り、結末を5行書き足せ」ということだ。

冒頭部分はこれから始まる小説の説明である場合が多く、説明部分は切れということだ。

そして結末部分は、作者本人は小説は完成したと思っていても、作品全体を数行で逆照射するようなアイディアがあるはずだという意味だ。

つまり「もッと色彩の濃い、血だらけな歓楽を求めるように傾いて行った」や「さあ今度は、おれとお前の勝負だ！」という言葉を探し出してこそ初めて小説を終えることができる。

もしもあなたに書き終えた原稿があり、しかしなんとなく不十分だなと感じている場合は、谷崎潤一郎とバルザックのそれぞれの作品の結末を思い出してみると良い。

これらは作品の構造上の問題なので、エジソンが発明した電気を誰もが使えるように、小説を書く僕らの全員が参考にできる有効な実例なのだと思います。

喪失感の表現で終わらせる

すべての物語は、主人公である少年や少女が、いくつかのイニシエーションを経て大人になっていく過程を描くものである。つまり、成長する。だが成長するということは、必ずしもポジティブな側面ばかりを持っているわけではない。人間は生まれ、体は成長していき、言葉を学び、言葉によって世界について知見を深めていくことで、大人になる。

しかしその間にも、刻一刻と「死」に近づいていくのである。人間をはじめ多くの生命は、有限の時間を与えられ、その短い時間を生きるしかない。

どうせ老いて死ぬのなら、なぜ努力しなければならないのか。世界に関する知見などどうでもいい話で、その時々の「今」だけを見て生きればいい。「死」が恐怖と苦しみを与えるのは必定で、だったら努力など無駄なことではないのか。

それでも僕らは努力する。世界というものに、一方的な片想いをし続ける。

なぜだろう？

個人は死んでも種としての人類は続くからだろうか。自分の子供達がバトンを受け継ぐからか。しかしその子供たちだって、僕らと同じようにやがて死ぬしかないのである。

物語は、こうした事情の上に成立している。

どんなに血湧き肉躍る冒険物語でも、その主人公は死の恐怖と苦痛から逃れることはできない。しかしそれをレアな状態で書いてしまうと物語を終えることができないので、多くの作家たちは「喪失感」の表現を巧みに磨いてきた。恐怖や苦痛を内包した悲しみの感情を描くことで作品を終わらせてきたのである。

壮大な物語でも小さな小説でも事情は同じだ。

具体例を挙げながら説明していきたい。

【川上弘美『センセイの鞄』】

川上弘美さんの『センセイの鞄』は恋愛小説である。2001年度谷崎潤一郎賞の受賞作品だ。映画化もされ、純文学としては異例の15万部超のベストセラーとなった。

主人公のツキコさんこと大町月子は行きつけの居酒屋で、30歳離れた高校の恩師で古文の先生だった、「センセイ」こと松本春綱に再会する。センセイが「ツキコさん、デートをいたしましょう」ということから2人の恋愛が始まる。ツキコさんは37歳、センセイは67歳である。

2人は露店めぐりやお花見へ出かけ、時にささいな喧嘩もしながら、ゆたかに四季をめぐっていく。飄々としながら、やがて慈しみあうようになる。

2人はセンセイの亡き妻のお墓参りに行ったり、美術館に出かけたりする。センセイは体の結びつきが恋愛には大切だと考えているのだが、そういうことをする自信がない。老いのせいだ。

この小説の恋愛は、どんな場面でも「老い」と「死」を背景にしている。

美術館に行ったシーンを引用する。

「ツキコさん、ワタクシはいったいあと、どのくらい生きられるでしょう」

突然、センセイが聞いた。センセイと、目が合った。静かな目の色。

「ずっと、ずっとです」わたしは反射的に叫んだ。隣のベンチに座っている若い男女が驚いてふり向いた。鳩が何羽か、空中に舞い上がる。

「そうもいきませんでしょう」

「でも、ずっと、です」

センセイの右手がわたしの左手をとった。センセイの乾いたてのひらに、わたしのてのひらを包むようにする。

「ずっと、でなければ、ツキコさんは満足しませんでしょうか」

え、とわたしは口を半びらきにした。センセイは自分のことをぐずだと言ったが、ぐずなのはわたしの方だ。こういう話をしているときなのに、しまりなく半びらきになるわたしの可哀相な口。

　いつの間にか母子は姿を消していた。日が暮れかかっている。闇の気配が薄く薄くしのびよろうとしていた。

「ツキコさん」と言いながら、センセイが左手のひとさし指の先っぽを、わたしのひらいた口の中にひゅっとさし入れた。仰天して、わたしは反射的に口を閉じた。センセイはわたしの歯の間にはさまれる前に、素早く指を引き抜いた。

「何するんですかっ」わたしはふたたび叫んだ。センセイはくすくす笑った。

「だって、ツキコさんがあんまりぼうっとしているから」

「センセイが言ったことを真面目に考えてたんじゃありませんか」

「ごめんなさいね」

　ごめんなさいね、と言いながら、センセイはわたしを抱き寄せた。

　抱き寄せられたとたんに、時間が止まってしまったような感じがした。

　センセイ、とわたしはささやいた。ツキコさん、とセンセイもささやいた。

「センセイ、センセイが今すぐ死んじゃっても、わたし、いいんです。我慢します」そう言いながら、わたしはセンセイの胸に顔を押しつけた。


（川上弘美『センセイの鞄』文春文庫）

恋愛という生命の讃歌を描きながら、老いと死を重ね合わせる。死について語った後、女の口に指を入れるという、ユーモラスでもあり官能的でもある動作を差し込む。巧みと言うしかない。やがてセンセイは亡くなり、センセイの息子さんから鞄を形見にもらった。「父春綱が生前にお世話になったそうで」と息子さんは頭をさげる。春綱というセンセイの名を聞いて、ツキコさんは涙があふれそうになる。

この小説の結末部分である。

センセイ、と呼びかけると、天井のあたりからときおり、ツキコさん、という声が聞こえてくることがある。湯豆腐には、センセイの影響を受けて、鱈と春菊を入れるようになりました。センセイ、またいつか会いましょう。わたしが言うと、天井のセンセイも、いつかきっと会いましょう、と答える。

そんな夜には、センセイの鞄を開けて、中を覗いてみる。鞄の中には、からっぽの、何もない空間が、広がっている。ただ儚々《ぼうぼう》とした空間ばかりが、広がっているのである。

（川上弘美『センセイの鞄』結末部分）

鞄は宇宙のメタファーである。失われたセンセイの魂はそこにあるはずだが、「ただ儚々《ぼうぼう》とした空間ばかりが、広がっている」ばかりである。

小説の設定上、途中から、やがてセンセイは亡くなるのだろうなと読者は気がつく。結末の予想がつく。だから余計に、それをどう描写するのかということが大切なのだ。

この小説の結末部分は「喪失感」といったものを超えて、宇宙的な神秘に辿り着いているわけで、そこが凄いなと僕は思う。

【ツルゲーネフ『初恋』】

『初恋』は、1860年に発表されたイワン・ツルゲーネフの中編小説で、半自伝的性格を持ち、作者が生涯で最も愛した小説だと言われている。

16歳の少年ウラジーミルの物語だが、40代となった主人公ウラジーミルが友人たちに手記として読んでもらうという形式になっている。若い主人公がコケティッシュな年上のヒロイン、ジナイーダに弄ばれるというストーリーだ。

ネスクヌーイ湖のほとりの別荘で両親とともに暮らしていたウラジーミルだが、隣に引っ越してきた5歳年上の美しい女性、ジナイーダに恋心を抱く。

ジナイーダは彼女に惚れる何人もの「崇拝者」達を自宅に集めては、いいようにあしらって楽しむような女性だった。

いろいろ省くが、ジナイーダが恋人と密会するという情報を得た主人公は、嵐の晩に彼女の家のそばの茂みで待ち伏せする。手にはナイフを忍ばせており、恋人と言われるその男を刺し殺してやろうと決意している。

そこへ男が通りかかる。

男の姿を見て主人公は愕然とした。男は、なんとウラジーミルの父だった。

このシーンはまさに「隠された父の発見」である。

父とジナイーダのスキャンダルが露呈し、主人公一家はモスクワから引っ越さねばならなくなった。崇拝者の1人が主人公の父親の不倫を触れ回ったため、世間体が悪くなったのだ。

引っ越す直前、主人公はジナイーダに出くわす。

「今まで苛めた事もあったけど、恨まないでね」と彼女は言い、主人公は「いいえ、ジナイーダ・アレクサンドロウナ。あなたがどんなに私をお苛めなさっても、どんなに苦しめなさっても、一生あなたを愛します、崇拝します」と答えるのである。

別の町へと引っ越したウラジーミルは、ある日父親に連れられて乗馬に出かける。乗馬が得意な父は先に行ってしまい、追いついたウラジーミルは父とジナイーダが密会しているのを目撃するのだ。

ジナイーダと口論していた父は明らかに苛立った感じで、突然、手にした乗馬用の鞭で彼女の手を打つ。物陰から様子を見た主人公は思い知るのである。これが恋なのだ、と。愛欲というものなのだ、と。鞭で打たれれば普通は怒り出すであろうに、それが恋をしてる身には平気なのだ。なのに自分は馬鹿だった――。

その部を引用する。

ジナイーダは上体を起こして片手をさしのべた……と、いきなりわたしの目の前で、ありうべからざることがおこった。父がとつぜん、それまでフロックコートの裾のほこりを払っていた鞭をさっとふり上げたかと思うと肘までむき出しになっているジナイーダの腕を、ピシリと打ちすえる音がしたのである。わたしはもうすこしで叫び声を立てるところだったが、かろうじて自分をおさえた。ジナイーダはびくりと身をふるわせたが、無言のまま父を見て、ゆっくりと自分の腕を唇に当てがい、赤くみみずばれになった傷痕にキスをした。父は鞭をわきへ投げすてて、あわただしく玄関の段々をかけあがると、家のなかにとびこんだ……ジナイーダはうしろをふり向いた――そして両手をさしのべ、頭をのけぞらせて、これまた窓べを離れた。

（ツルゲーネフ『初恋』講談社／佐々木彰訳）

父親と馬を並べて帰る道で、「どこへ鞭を落としてきたんですか？」と聞くと、父親は「落としたんじゃない。捨てたのだ」と答える。

時は流れ、ジナイーダは結婚し、ウラジーミルの父親は脳溢血で亡くなる。そのジナイーダも、お産の際の事故で亡くなる。

ツルゲーネフは、この小説をどう終わらせているのだろうか。

結末部分を見てみよう。

忘れもしない、ジナイーダの死を知ってから四、五日後のこと、わたしは自分で、やむにやまれぬ気持ちから、わたしたちと同じアパートに住んでいた、ある貧しい老婆の臨終に立ち会った。ぼろをまとい、硬い板の上に横たわり、枕がわりの袋に頭をのせた老婆は、もう重態で、苦しみながら息を引きとろうとしていた。彼女の一生は日々の窮乏との苦いたたかいのうちにすぎ去ったのだ。彼女はかつて喜びというものを知らず、幸福の甘さも味わったことがなかった――死を、死のもたらす自由を、安静を、彼女が喜ばないはずはあるまい、とわたしは思った。けれども、彼女の老いさらばえた身体がまだがんばっているうちは、胸が、その上にのせられた氷のように冷たくなった片手の下で、苦しげに波うっているうちは、最後の力が体内に残っているうちは、老婆はひっきりなしに十字を切って、「主よ、わが罪をゆるしたまえ」とささやきつづけるのであった。――そして意識の最後のひらめきが消えると共に、彼女の目のなかの、末期の恐怖やおびえがやっと消えたのである。忘れもしない、そのとき、貧しい老婆の死の床のかたわらにあって、わたしはふとジナイーダのことを思いだして恐ろしくなった。そしてわたしは、ジナイーダのためにも、父のためにも――そしてまたわが身のためにも、心から祈りをささげたくなったのである。

（同）

甘い初恋と「死」の対比に、目眩がしそうである。いわば、究極的な「喪失感」の表現だ。ツルゲーネフの『初恋』や川上弘美さんの『センセイの鞄』の結末から僕らが学ばなければならないのは、登場人物の誰かが死んだだけでは小説を終わらせることができないということだ。「死」による喪失感をどのように描くか、ということが大切なのです。

宇宙や宗教やさらにその向こうにある希望を描けてこそ、作家は小説を終わらせることができる。

次に、海外のエンターテインメント作品を見てみよう。

【コーマック・マッカーシー『ザ・ロード』】

コーマック・マッカーシーの『ザ・ロード』は、カニバリズムが横行する終末世界を旅する子供が、共に旅してきた父を失い、最後に希望を見出すという筋書きなのだが、ラストシーンが神話的かつ詩的で美しい。

映画化もされたこの作品は大災害により文明を失ってから10年以上経った世界が舞台である。南西アパラチア山脈である。

空は塵に覆われ寒冷化が進み動植物は死滅してしまう。生き残った人間は餓死するか自殺するか、あるいはお互いを食い合うしかない。そんな荒廃した世界においてもなお父と息子は他人を助け、善き者であろうと生きつつ、寒さから逃れるため南を目指し歩き続ける。

父子は、飢餓や凍死の危機をはじめさまざまな恐怖を経験しながら、倫理や理想を捨てずに進み続けようとするのだ。

父親は、自分の息子は神聖なる神の受肉であって、生命に意味を与える存在であると信じている。息子は汚れなき天使であり、息子にとって父親はすべてである。

小説の結末で父は荒野に病死し、息子には生き続けるようにうながす。

数日後、息子はある夫婦に発見され、家族の一員になる。

この作品の結末はこうだ。


かつて山の渓流には川鱒が棲んでいた。琥珀色の流れの中で縁の白いひれを柔らかく波打たせている姿を見ることができた。手でつかむと苔の匂いがした。艶やかで筋肉質でぴちぴち身をひねった。背中には複雑な模様があったがそれは生成しつつある世界の地図だった。地図であり迷路であった。二度ともとには戻せないものの。ふたたび同じようには作れないものの。川鱒が棲んでいた深い谷間ではすべてのものが人間より古い存在でありそれらは神秘の歌を静かに口ずさんでいたのだった。

（コーマック・マッカーシー『ザ・ロード』ハヤカワepi文庫／黒川敏行訳）

失われた自然の描写である。そいつは失われてしまっているからこそ、神話的で詩的で美しい。このシーンがなければマッカーシーはこのハードな作品を終えることができなかったのだ。

コーマック・マッカーシーは『ザ・ロード』を自分の子どもに宛てて書いていて、苦難の中にあってもなお「火を運ぶ」という人間の崇高さを忘れてはいけないと説きたかったのだろう。

人間は誰でも死ぬ。事故死だったり病死だったり、年若き時に亡くなったり、老いて死んだりする。死は一様に無惨で、恐怖と苦痛に満ちており、文学的に言えばあまりにも不細工なものだ。

誰かが亡くなって作品が終わるケースはたくさんあるだろうが、その結末を不細工にしてはならない。作家はそれぞれにオリジナルな「喪失感」の表現を刻印することで、小説を終わらせることができるのである。

あなたがすでに書き終えた小説があるとして、もしも誰かが死ぬシーンで終わっているなら、「喪失感」の表現を付け加えるようにしてください。

希望の表現・世界と一体化して終わらせる

前の項で、「喪失感の表現で終わらせる」について解説をした。この項では「喪失感を克服した希望の表現で終わらせる」について書く。

もっともこれは「世界と一体化して終わらせる」を含んでおり、細かく分けるとかえってわかりづらいので、「希望の表現・世界と一体化して終わらせる」という具合に結合しておきます。

なぜそうしようと思ったのかというと、今回紹介する瀬尾まいこさんの『卵の緒』に収録された「7's blood」を読み返したからだ。

これは「喪失感を表現する結末」を、もう一歩先へ踏み出して終えるパターンで、エピソードを1つ付け加える必要がある。そのことにより世界と一体化することを可能にする。

せいぜい数行程度の文章でこれを実現しなければならないわけで、高度な文学性が求められる。

2つの小説を参考例として検証することで、希望の表現で小説を終わらせる技術を学びたいと思う。

【『卵の緒』収録の短編「7's blood」の結末のキスシーンは素晴らしい！】

瀬尾まいこさんの「7's blood」を紹介しよう。『卵の緒』収録の短編だ。

ラストを明確に覚えていたわけではなかったのだが、作品自体は印象に残っており、今回読み返してなるほどなぁと唸らされた。

瀬尾まいこさんの小説は『強運の持ち主』や『幸福な食卓』など他にも好きなものがたくさんあり、だがこの「7's blood」がいちばん好きだ。

瀬尾まいこさんさんは2001年に坊ちゃん文学賞大賞を『卵の緒』で受賞してデビューした。『卵の緒』は養子だということに気づいている少年の話なのだが、お母さんがへその緒の代わりに「卵で産んだから、卵の緒」と優しく奇想天外なことを言い、それがタイトルになっている。

「7's blood」は『卵の緒』に併録されている中編だ。主人公の女子高生の七子には腹違いの弟、七生がいる。小学校6年生だ。今までずっと別々に暮らしてきたのだが、七生の母親が傷害で刑務所に入ったため、引き取る人が必要になった。

ちなみに父親は既に亡くなっている。

七子のお母さんは奇特にも愛人の子の面倒を見ることを決め、しかし母親は入院してしまい、七子と七生の同居生活が始まる。

七子と七生がだんだん打ち解けていくハートフルな話なのだが——この小説はぜひ皆さんに読んでほしいと思うので、なるべくネタバレにならないように詳細は省く。

最後は七生の母親が戻ってくることになり、七子は去っていく七生を駅まで見送るのである。

そのラストシーンを引用する。


電車を待つ七生が振り向いた。何度も見ている表情だ。私が名前を呼ぶと、少し首を傾げて顔を向ける。いつもいつもそうだ。

だめだ。何よりも大切だと思えた。たまらなくいとしかった。

私は七生の頬にそっと手をあてた。夏にはちゃんと小麦色になったのに、今はまた白くて細やかな肌になっている。頬も目も鼻も、肌の柔らかさも温かさも、全部七生そのものだった。

睡魔に襲われて、眠りの中に足を踏み入れてしまう時の感覚と同じだった。

私はそっと唇を七生の唇に合わせた。冷たかった七生の唇が私と同じ温度になっていく。それは、とても似ていて、くすぐったかった。全然違っていて、胸が苦しかった。

「さよなら」

七生が言った。

「じゃあね」

私が言った。

未来もこの次もない。だけど、私たちにはわずかな記憶と確かな繋がりがある。

（瀬尾まいこ「7's blood」『卵の緒』新潮文庫所収）


瀬尾まいこさんの作品はこの「7's blood」に限らず、何か大きな事件が起きるわけではない。日常生活の場面が淡々と綴られていく。しかしその日常生活とは、どこかしら歪なのである。

この文庫のあとがきで瀬尾さんはこう書いている。


私には父親がいない。それはたいして重要なことではないし、私は女ばかりで構成され、類いまれな生活力を持つ自分の家族を気に入っている。けれど、「家族」というものに憧れがあった。手に入らないとわかっているからこそ、焦がれていた。

（同、あとがき）

七子と七生もそれぞれ高校生と小学生でありながら、自分が置かれている状況については認識している。だが必要以上に悲しむわけでも怒るわけでもなく、それを受け入れている。

ただ、こういう小説を終わらせるのは実は大変だ。壮大なスケールの冒険物語なら、エンディングはおのずと決まってくるだろう。しかし淡々とした日常を描くタイプの小説は、印象的なシーンが欲しい。『7's blood』の姉が弟にキスするシーンを書くのは、案外と難しいだろうと僕は思う。

2人は姉弟であり、年齢にも開きがある。なにしろ弟の方は小学生なのだ。そのために、弟の七生がクラスの女子にキスする場面を姉が目撃したりと、周到に伏線が張られている。

本当に素晴らしいエンディングだと思う。少年の官能性を超えて、生命の輝きが描かれている。

最初はぎこちない関係だったのだが、今や七子にとって七生の存在は世界そのものだ。「確かな繋がり」を感じさせるたった1人の人間だ。「冷たかった七生の唇が私と同じ温度になっていく」その時間は、お互いが世界と一体化していく時間なのだ。

この発想から僕らが学ぶものは多い。

未読の方は、是非お読みください。そして自分の小説の結末を書く際の参考にしてください。


【浅田次郎『壬生義士伝』は結末で世界に呼びかける】

壮大なスケールの冒険物語なら、エンディングはおのずと決まってくる——と、僕は書いた。浅田次郎さんの『壬生義士伝』はまさに壮大な長編小説であり、実在の人物を描いているので結末は決まっているが、小説を終わらせるのはなかなか大変である。

『壬生義士伝』は浅田次郎さんの初の時代小説で、綿密に取材を重ねて執筆された。南部地方盛岡藩の脱藩浪士で新選組隊士の吉村貫一郎を題材にしている。

新選組で守銭奴や出稼ぎ浪人などと呼ばれながら近藤勇、土方歳三、斎藤一、沖田総司など名だたる隊士が一目おいた田舎侍・吉村貫一郎が繰り広げるドラマを描いている。

物語は鳥羽伏見の戦いの後、貫一郎が切腹する直前から始まる。だが、三人称視点で描かれるのはこの冒頭だけである。

あとは、なかなか切腹できずにいる貫一郎の語りと、時代は下って明治になり、貫一郎を知る人々が話す思い出語りが交互に描かれる。ほとんどが口語体の作品だ。

貫一郎が死ぬシーンは作品の終わりではなく、8割か9割のあたりにある。生まれる前に自分が脱藩したため、一度も抱いたことのない赤ん坊に、魂はお前と共にあると約束して死んでいく。

そのシーンが結末に対応している。引用する。


まだ見ぬおぼっこや。

お前にだけは、心からすまねえと思いあんす。抱いてもやれず、背負うてもやれず、親らしいことは何ひとつ、してはやれなんだ。

ゆくゆく父のことば問われても、知らねがんすと答えるほかはねえお前の淋しさば思うと、申しわけなさで胸がつぶれる。

んだから父は、お前に約束ばする。極楽にも、地獄にも行かね。魂魄はお前とともにおり申す。仏様や閻魔様にどんたな無理ば言うても、片ときも離れずお前のそばにおり申す。

次男坊のお前は冷や飯食いで、いずれはどこぞの家さ婿に入るじゃろう。養子に貰われるやも知れねな。したども父は、どこまでもお前とともにおるからな。

そんで、新しき世を生きたいつの日にか、父とともに盛岡さ帰るべ。父の魂ばしっかと背に負うて、ふるさとさ帰るべ。

ああ、見える。

雪解けの岩手山じゃ。南には早池峰、北には姫神山。北上川と中津川の合わさるその先に、不来方《こずかた》の御城が。


（浅田次郎『壬生義士伝』文春文庫）


そして最後の語り手はその赤ん坊、父と同じ名前をもらった吉村貫一郎である。

今や立派な農学博士で大学教授を定年になった彼が、新しい学校に赴任するため列車で故郷盛岡に向かう。

道中で自分の人生を物語り、盛岡に着いた瞬間がラストシーンである。

いやはや、楽隊のお出迎えとは畏れ入った。改札に整列しているのは、私の赴任する高等農林学校の学生たちでしょうか。

歓迎は有難いが、万歳三唱はやめていただきたいものです。実は、目立つことが大の苦手なのですよ。

こうなると、あなたにご一緒していただいていてよかった。書生のふりをして、うまく引き回して下さいませんか。「先生はたいそうお疲れなので、ご挨拶は日を改めて」とか。お上手でしょう、そういうことは。

やれやれ、楽隊が派手な軍楽を。

幟まで立っていますね。「歓迎　吉村貫一郎先生」。いやはや汗顔のいたりです。

いいですか、汽車を降りたら、プラットホームの先頭まで歩きますよ。

なぜかって、ふるさとの風を胸いっぱいに吸ってみたいのです。

さあ、降りましょう。

はろばろと豁《ひら》けた空の究みから、清らかな風が吹きおろして参ります。

歩いて、歩いて、岩手山を真正面に望む、プラットホームの先まで。

おうい、今帰ったぞお。

南部の風じゃ。盛岡の風じゃ。
胸いっぺえに吸うてみるべさ。
力いっぺえに。胸いっぺえに。
ああ、何たるうめえ風にてごあんすか。
ああ、何たるうめえ風にてごあんすか――。

（同）

口語で書かれた作品ゆえに、最後の6行が末息子の貫一郎ではなく、約束通り魂となって息子を見守ってきた主人公の貫一郎のセリフであることがわかる。

正確にはこの後、主人公の友人が末息子の貫一郎を養い親に託すために書いた漢文の書状が入り、まあこの書状も泣かせるのだが、「ああ、何たるうめえ風にてごあんすか」が実質的にラストと言っていいだろう。

切腹した吉村貫一郎は息子を通して、南部の風と一体化するのである。そのことにより、この長い時代小説を終えることができる。

息子に未来を託す――という考え方は現代ではありきたりにも思えるが、そこはさすがに浅田次郎さんのテクニックは凄い。

この「世界に呼びかける」パターンは、皆さんにも是非とも身につけてほしい。

小説を喪失感を克服した希望の表現で終わらせるには、世界を肯定し抱きしめ、そいつを受け入れるしかないのである。

世界から零れ落ちる

【『鏡の中のガラスの船』『さよならの挨拶を』『水晶の夜』のエンディング解説】

「世界から零れ落ちることで終わらせる」について解説する。

あらゆる表現は、制度からこぼれ落ちていく個体の悲しみを描くものである。

これが表現の鉄則であり、この「悲しみ」を結末に持ってくるのだ。

制度からこぼれ落ちていく——と言って瞬間的に理解できる人はいいとして、難しい表現だなと感じる方々にたとえ話を書いておく。

主人公が四方を囲まれた部屋に閉じ込められているとする。この部屋が彼にとっての世界であり、現実であり、日常生活だ。壁は強固で、ぶつかってもぶつかっても破壊することができない。何度ジャンプしても、壁を乗り越えることもできない。そんな場合どうしたらいいだろうか。床板を踏み抜き、落下するしか方法がないのである。

主人公のこうした行為を描くのが、端的に言えばクライムノベルである。床板を踏み抜くように、彼は人を殺す。あるいは殺される。そこまで行かなくても、堕落していくのである。

【『鏡の中のガラスの船』の合わせ技】

今回は、僕自身の作品の結末を紹介することで、主人公が世界からどんな具合に零れてしまうのかを見ていただこう。

まず、学生時代に書いたデビュー作の『鏡の中のガラスの船』だ。

気がついた時、僕は、個室の便器の中に顔を突っ込んでいた。水が、血の色に染まっている。遠くから、声が聞こえてくる。

——あれは、計画的な犯行ではなかった。もみ合っているうちに殺ってしまったんだ。だが、それも詳しく喋る必要はない。そして、おまえはM評の活動家だ。幹部だよ。今日、ここで赤ヘルに襲われた。いいな、わかったな……。

おれは、まだくたばっちゃいないぞ、と思った。だが、起き上がれるだろうか？　体に力をこめようとするのだが、うまくゆかない。他人の体のようで、不思議に痛みも感じなかった。腕を突っぱり、顔を上げ、便器の中に吐いた。折れた歯も、吐き出した。鉄パイプで殴られた頭のどこかから、血が流れつづけているようだ。

それから、時間をかけ、個室から這い出した。光が見えた。あちらが出口なのだろう。僕は目を閉じ、出口のほうへ這って行った。風を感じることができた。このまま死ぬのだろうか？　それとも、死ぬほどじゃないんだろうか。

　あれがどうなろうと、これがどうなろうと、そんなことはどうだっていいのだ。あれがどうなろうと、これがどうなろうと、僕は僕でしかないのだ。そいつは、なんて幸福なことなのだろう。

　目を開けると眩しい光が、瞳の中で拡散する。グリーンに輝く、光の世界だった。冷たい空気の向こう側で、何かが揺れている。

　若葉が見える。若葉は、ボートを浮かべた水面の反射光を映して、蝶のように風に舞った。鏡の中の世界のように、それらはあまりにも眩しかった。

　池を満たした水や、若葉や木立は、自ら発光している。それらは交錯し合って、淡いグリーンにきらめいている。

　船が見える。穏やかな水面に、ガラスで出来たボートが浮かんでいる。あれに乗って行こう。溢れる光の中心に、太陽の黒点のような、一点の黒い影があるのがわかる。それは空の果て、暗い宇宙の入り口だ。そうだ、あそこには海がある。

　ガラスの船が、水面で風と光とに揺れている。船の腹では、白い波がさざめいている。

　あれに、乗って行こう。律子、僕は、もう行くよ。

　水面に半透明のかげが落ちて、波間で揺れている。ガラスの船が、水面を軽やかに滑るように、こちらにやってくる。そいつは、やがてふわりと宙に浮き、薄い空気の中を僕のところまでやってくるだろう。
さあ、もう行かなくては――。

（山川健一『鏡の中のガラスの船』デジタル全集Jacks所収）

Google Booksにこんな解説が載っているのを今見つけた。

青春の彷徨をみずみずしい感性で描く山川健一のデビュー作。レッド・ツェッペリン、闘い、リンチ殺人事件、ジャズ喫茶、バスケット・シューズ、コーラ・ブラウンのストッキング、遊園地……。危機の予感のなかで語られる、失われた70年代への鮮烈なレクイエム。第20回「群像」新人賞優秀作受賞。

この結末シーンは、学生運動のセクトのメンバーだと勘違いされた主人公が、敵対するセクトの人間にリンチされるシーンである。
多分、彼はこのまま死ぬ。
「――あれは、計画的な犯行ではなかった」というのは、リンチした男が警察の取り調べでそう言えと言っているわけだ。
この作品は『ガラスの船』という仮題で書き進めたのだが、結末シーンの「鏡の中の世界のように、それらはあまりにも眩しかった」という表現に連動して『鏡の中のガラスの船』に変更した。

プロットの段階で結末は決まっていた。むしろ真ん中のストーリーをどう組み立てればいいのかということが未決定だった。

冒頭の「夕暮れの風は冷たかった。僕は遊園地のベンチから立ち上がり、これからはじまる濃密な時間をどうすごそうか、と考えてみる」は、実は高校時代に書いた20枚程度の掌編作品の冒頭である。

この20枚を丸ごと1章にして、既に決まっているエンディングに向けてプロットを作っていったわけだ。

主人公が世界から零れ落ちることでこの小説は終わっている。そしてこの結末は、「概念を映像化して終わらせる」にも当てはまるだろう。

水面を軽やかに滑るようにこちらにやってきて、やがてふわりと宙に浮き、薄い空気の中を主人公を迎えにくるガラスの船が、「概念の映像化」に相当する。

確かに主人公は世界から零れ落ちていこうとしているわけだが、ガラスの船というイメージは一種の宗教的な救済なのだ。

ちなみに「あれがどうなろうと、これがどうなろうと、そんなことはどうだっていいのだ」は中原中也の詩のパクりだ。その他にも主人公がサーニンを読んでいたりする。新人賞に応募した作品なので、年上の選考委員達が「作者は無教養なロック少年のようだが、中也やロシア文学程度は読んでいるのか」と思ってくれるよう、意図的にやったことである。

【『さよならの挨拶を』の最後の1行を書く前に】

次に『さよならの挨拶を』の結末部分を見ていただこう。

彼女の横に、大きなミミズクが一羽いた。ミミズクは裸の早代子に体をすり寄せるようにして、目を閉じていた。眠っているのかもしれなかった。

「ねえ、アキラ。後悔しない？」

ぼくは早代子の体を見た。肩胛骨の上のホクロ、薄い胸とくびれた胴。そして、艶やかなふたつの太腿。ああ、この体が、ぼくの下で何度もしなったのだ。

「早代子、もう決めたんだ。後悔なんてしないよ。おれたちは、短い人生にほんの数度しか訪れない輝かしい時を、精いっぱい光り輝かすために毎日息を殺して生きてるんだよ。その瞬間がなければ、誰も長い砂漠を越えて行くことはできないんだ。おれは、この頃、本気でそう思うんだ」

ぼくは、自分の声に気がついた。

はっとして見ると、懐中電燈が床にころがっていた。カーペットの上を、光は扇形に広がっている。ゆっくり振り返ると、美術館の暗い空間があるだけだった。

濡れた体は、芯から冷えきっていた。

ぼくは立ち上がり、階段をおりて行った。そして、洗面所へ行き、鏡の前に立った。不様な男の顔があった。

コップを持って、もう一度階段をのぼる。そしてもう一度、早代子の絵の前に立った。懐中電燈で絵を照らしてみる。早代子は、ぼんやりぼくを見つめている。

J&Bのボトルをつかみ、中の液体をコップに注ぐ。いっぱいに注ぎ、コップの縁に口を近づけた。強い臭いが鼻をつく。

ゆっくり、コップを傾ける。冷たい液体が喉を通り、体に流れこんできた。

もう二度と、目覚めることはないだろう——。

（山川健一『さよならの挨拶を』デジタル全集Jacks所収）

これもGoogle Booksに解説があったので引用しておく。

月は夜の眼。風は夜の鼓動。そしてぼくは夜の息子だ。ぼくの頭は溶解し始めている。トルエンとシンナー。それが、星もない昏い虚空に横たわる、ぼくだけの希望。真実は、トルエンが与えてくれる常闇の輝きと、早代子に対しての嘘だけだ——。若い女の許へと去った父。婚期を目前に焦燥に喘ぐ二人の姉。昼間から酒びたりの母。欺瞞という名の共犯意識だけが絆となった家庭の内で、幻の入口を求めて無軌道に、そして意志の赴くままに生きる少年の揺れる心理と生理を詩情豊かに、静謐に、痛みそのものを謳いあげる青春文学の金字塔。

主人公のアキラはトルエン中毒で、父親は若い女と家を出てしまい、母親は酒びたりである。そんな母をギリギリのところで2人の姉が支えている。既に家庭は崩壊しているというのに、何食わぬ顔で家族を演じ続ける彼女達に、アキラはうんざりしている。しかし、最も腐っているのは自分自身なのだ。

この結末は、既に去った恋人の早代子の幻影を深夜忍び込んだ美術館で見るシーンである。高校の教師が描いた早代子の裸体画が展示されている美術館だ。

この結末はプロットの段階では決まっていなかった。アキラが美術館の警備員に捕まるのでもいいし、夜の中に駆け出すのでもいい。

色々なパターンが考えられる。

しかし——これしかないよな、と僕は最後の最後で覚悟を決めたのだった。J&Bのボトルにはトルエンが入っている。「もう二度と、目覚めることはないだろう——」が最後の1行だよなと思い、だがそれは書かずに近所のパチンコ屋へ行った。泣きながらパチンコを打ち、何千円かスッた後、仕事部屋に帰り、仕方なく最後の1行を書いた。つい昨日のことのように鮮明に覚えている。

皆さんに理解していただきたいのは、主人公が世界から零れ落ちる結末を書くためには、技術などより強い精神力が必要で、「ビビるんじゃねえよ！」と自分を叱咤する必要があるということだ。

【反戦グループが制度を逸脱する『水晶の夜』】

もう1つ、『水晶の夜』のエンディングを見ていただこう。これは召集令状を破り捨てて逃亡する主人公達が制度にぶつかり零れ落ちていくシーンである。


荒い呼吸を整えながら、床に四つん這いになったアキラが大きな声で言う。

「プランがあるんだ」

アキラのサスペンダーは肩からずり落ちている。

「プラン?」と阪本。

「そう。阪本さんほどのプランじゃないけど、聞いてくれるかい?」

ぼくらはうなずいた。

アキラは咳こみ、下唇を舌で濡らす。

「まず、奴らを撃つ。ここへ近づく奴らを撃つ。そして、機動隊員の服を奪って、クレーンを伝って、地上へ降りるんだよ」

アキラは、さもおかしいといった風に笑っている。

「それから?」

喘ぐように、阪本が聞いた。

「奴らの救急車に何食わぬ顔をして乗りこんで、そいつを奪って包囲網をこっそり突破するのさ」

「どこへ、行くつもりだい？」とぼく。

「海さ。海へ行くんだ。海辺の街に隠れて、明日の夜中にボートを手に入れるんだ。そいつで、島へ行く。六時間もすれば群島があるだろう。そこにB4を建設して、おまえとツヨシの傷を治すのさ」

銃弾が外壁を叩く音は、もうしなかった。

「どうだい」と、真っ赤な眼をしばたたかせながらアキラが言った。

「島か。島というのは気がつかなかったよ」と、ぼく。

「そうだろう」

アキラは喉の奥で笑う。

「島は、いいよ。島は、世界そのものだからなあ」

ぼくは、そう言った。アキラは二度うなずき、

「今まで、なぜ気がつかなかったんだろう」と言った。

そして、今度は壁にもたれたツヨシの肩を抱くと、

「ツヨシ、聞いてただろう？　どうだ、異議はあるか」

ツヨシは、薄っすら目を開けた。唇を動かして、何か言おうとする。ぼくらは、ツヨシの顔を覗きこむ。ツヨシが、唇を動かして、言葉を吐き出した。それは微かな声であったが、ぼくらに

ははっきり聞きとれた。

「おまえは、大した奴だ……」

「おれと阪本さんが肩を貸してやるから、ツヨシ、いっしょに行こう」

だが、ツヨシは首を振る。目を閉じ、黙って、何度も左右に首を振った。

ぼくとアキラは、顔を見合わせた。アキラのほうが、目を伏せた。

アキラは床に薬莢で地図を書いた。ビルと機動車を書きこみ、南西の角に×印をつけた。

「ここが目的地だ。このコーナーに救急車が停ってる。おれと阪本さんが、おまえを運びこむ。おまえは実際に怪我をしているし、不自然じゃないだろう。おれたちがドアを閉めたら、おまえはピストルで中の連中を撃ち殺せ。いいな?」

ぼくは、うなずいた。そして、ツヨシを見た。目を閉じたツヨシは、荒い息をしている。

「よし、じゃあ行くぞ。ツヨシ、今まであんたといっしょにやれて、嬉しかったよ」

ツヨシは、答えなかった。

アキラはライフルを抱え、ドアを開けようとする。

「ちょっと待ってくれ」

ぼくはそう言うと、籠の中に手を入れ、キースを捕まえる。柔らかく暖かなキースを右のポケットにしまう。

「いいよ」

ぼくの言葉にアキラはうなずいた。ぼくは、ドアの手前まで這って行った。

「走れるか？」と阪本。

「うん、なんとか」

「ピストルを構えろ。ドアを開けたら、走りながら撃つんだ。踊り場のところで着替えよう。いいな？」

アキラが大声で言った。

「わかった」

胸の中の彩子にぼくは呼びかける。彩子、ぼくらを守ってくれよ。立ち上がり、一気にドアを押し開け、ぼくらは走り出す。

その瞬間、横一列に並んだ銃口が一斉に火を吹くのが、立ち籠めた白いガスの中に見えた。

（山川健一『水晶の夜』デジタル全集 Jacks 所収）

これも Google Books の解説を引用する。

街路樹は枯れはじめ、森全体が滅びようとしている。街中に密告が蔓延し、徘徊する娼婦、アル中に放火魔。とうとう狂い出した自然と人間。森の〝監視員〟としての任務を立派に遂行しようとしていた主人公のもとに突然まい込んだ一通の召集令状。それは森に火を放ち、殺人者になることを意味していた――。

徴兵制が復活した世界で、そいつを破り捨て最終的に警官隊と銃撃戦を繰り広げる不良少年たちの物語である。この小説では個人ではなく、集団が制度からこぼれ落ちていくことになる。

不良少年だとか、良心を貫くだとか、森を守るだとか、いろいろなことを徹底すると――たとえば召集令状を破り捨てて逃げれば、権力に撃ち殺されることになるのだということを僕はこの小説を書くことで思い知ったのだった。

【僕らはみんな夜の子供達】

今回、自作解説にしたのは、「世界から零れ落ちることで終わらせる」結末の小説を探そうとして「あれ？　俺の作品がぴったりなんじゃないかな」と思ったからである。

今回エンディングを見ていただいた『鏡の中のガラスの船』『さよならの挨拶を』『水晶の夜』は、書きたいように書いたらどれも同じように「制度から零れ落ちていく結末」になってしまった。まだ若かったということかもしれない。

これらの作品を書いたことで、その後の僕の人生は決まってしまったようなものだ。ふとした弾みに登場人物達が現れては「作者のお前だけがポルシェを乗り回したり、ぬくぬくしてるんじゃねえよ」と毒づくからである。

その後『ロックス』辺りからは、僕もワンパターンの結末からの脱却を目指して、「作品全体の思想をさらに展開して終わらせる」や「希望の表現・世界と一体化して終わらせる」という技術を身につけていったのだった。

しかし登場人物のみんな、誓うよ。月は夜の眼、風は夜の鼓動、そして僕らは今も等しく夜の子供達なのだ。

あらゆる権威に屈してはならないのだと、僕は今でも思っているよ。

あとがき

読んで頂き、ありがとうございました。

僕は作家として小説を書きながら、サイバーエージェントの子会社だったアメーバブックスで取締役／編集長を8年つとめ、東北芸術工科大学文芸学科で8年間学科長／教授をつとめた。

この本は、アメーバブックス時代に編集者として著者の方々に行ったアドバイス、大学で教えていた時の講義ノートをベースにしている。

Facebook上のオンラインサロン『「私」物語化計画』をスタートしたのは2018年だ。作家養成と「私」探しの旅のサポートを目標としたサロンである。

会の名称は、「私」を物語化する以外に自分を理解することは不可能なのであり、小説を書くにも「私」を物語化するのがもっとも有効な方法なのだという、僕の小説家・編集者・大学教授としての経験則に基づいている。この哲学は本書の副題にも生かされている。

物語化計画で毎週配信している講義テキストを、本書の原稿の具体的な叩き台にした。

そんなわけで、僕が1人で本書を書いたわけではない。かつて編集者として接した多くの著者の方々、デビューに立ち会った年下の作家達、東北芸術工科大学文芸学科の学生達、物語化計画の会員の方々との関係性の中から新しいナラトロジーが生まれ、今も育ち続けているのだと思う。

物語化計画にはプロの作家の皆さんも参加してくれている。越水利江子さん、宮下恵茉さん、楠章子さん、寮美千子さん、香咲弥須子さん、赤紫シノさん、ビジネス書やストーンズ論の本を出している小屋一雄さん、亡くなった誉田龍一さん。他にもコーチングや美容の本を出されている方々がいる。皆さんとの関係性の中から、本書は生まれたのだと思っています。感謝します。

装丁を担当してくれた松利江子さんも旧い友人である。カバーの絵は、鮎川陽子さんの作品をお借りした。タイトルは"That's all right"。エルビス・プレスリーのナンバーからとられている。陽子さんは我が友シーナと鮎川誠のお嬢さんで、僕は彼女が子供の頃からよく知っている。

こんなメッセージをもらった。

《この絵は自由をあらわしています。
自由は意外と難しく、自分の中での葛藤があったり、外から重圧があったり……そんななかでも自由に向かってぶつかっていきたい、そういう気持ちを表している絵です。》

シーナ、鮎川さん、陽子ちゃんは素晴らしいアーティストに育ったね。俺も嬉しいよ！

それから、既に45年も兄弟のようなお付き合いをさせて頂いている幻冬舎の見城徹社長に、最大限の感謝と尊敬を表明したいと思います。「制度から零れ落ちていく個体の悲しみを書け」と、徹底的に叩き込まれました。ヨタヨタしながらも僕が何とかここまで書き続けてこられたのは、あの頃の見城徹講義のお陰です。

最後にもう一度、読者の皆さんに深く感謝します。できればあなたも、短編からでいいので小説を書いてみてください。一発当てようとか有名な作家になりたいとか、もちろんそういう気持ちも大切でしょうが、何よりも小説には本質的な価値があり50年書き続けても新しい発見があり飽きることがないのです。それに、スポーツやビジネスと異なり、スタートするのに遅いということは絶対にない。

物語を巡るあなたの旅に幸多かれと祈り、少しばかり長いあとがきを終えたいと思います。

２０２３年７月

都内の仕事場にて　山川健一

参考文献一覧

ポール・ヴァレリー『ムッシュー・テスト』清水徹訳、岩波文庫、2004年
ポール・ヴァレリー『ヴァレリー詩集』鈴木信太郎訳、岩波文庫、1968年
秋山駿『恋愛の発見 現代文学の原像』小沢書店、1988年
秋山駿『舗石の思想』講談社文芸文庫、2002年
石原千秋『読者はどこにいるのか』河出ブックス、2009年
『日本古典文学全集41 松尾芭蕉』小学館、「野ざらし紀行」収録、1972年
ジャック・デリダ『生死〈ジャック・デリダ講義録〉』吉松覚他訳、白水社、2022年
ジャック・デリダ『法の力〈新装版〉』堅田研訳、法政大学出版局、2011年
高橋哲哉『デリダ 脱構築と正義』講談社学術文庫、2015年
ジョナサン・カラー『ディコンストラクションⅠ・Ⅱ』富山太佳夫他訳、岩波現代文庫、2009年
ロラン・バルト『物語の構造分析』花輪光訳、みすず書房、1979年
ロラン・バルト『零度のエクリチュール』石川美子訳、みすず書房、2008年
ロラン・バルト『明るい部屋―写真についての覚書』花輪光訳、みすず書房、1997年
橋本陽介『ナラトロジー入門―プロップからジュネットまでの物語論』水声社、2014年
ジェラール・ジュネット『物語のディスクール―方法論の試み』花輪光訳、水声社、1985年
ウラジミール・プロップ『昔話の形態学』北岡誠司訳、水声社、1986年
ジョーゼフ・キャンベル『千の顔をもつ英雄 上・下』倉田真木他訳、ハヤカワ・ノンフィクション文庫、2015年
マイケル・サンデル『それをお金で買いますか 市場主義の限界』鬼澤忍訳、ハヤカワ・ノンフィクション文庫、2014年

越水利江子『風のラヴソング（完全版）』講談社青い鳥文庫、2020年
楠章子『電気ちゃん』毎日新聞出版、2013年
宮下恵茉『ジジきみと歩いた』学研の新・創作シリーズ、2007年
誉田龍一『日本一の商人 茜屋清兵衛奮闘記』角川文庫、2018年
吉本隆明『マチウ書試論・転向論』講談社文芸文庫、1990年
ルイス・キャロル『不思議の国のアリス』河合祥一郎訳、角川文庫、2010年
シャルル・ペロー『シンデレラ―小さなガラスの靴』天沢退二郎訳、ミキハウスの絵本、1987年
ガルシア・マルケス『百年の孤独』鼓直訳、新潮社、1972年
ガルシア・マルケス『物語の作り方 ガルシア＝マルケスのシナリオ教室』木村榮一訳、岩波書店、2002年
太宰治『ヴィヨンの妻』新潮文庫、1950年
太宰治『太宰治全集8』ちくま文庫、「メリイクリスマス」収録、1989年
横光利一『機械・春は馬車に乗って』新潮文庫、「春は馬車に乗って」「時間」収録、1981年
ウラジーミル・ナボコフ『ロリータ』大久保康雄訳、新潮文庫、1980年
川端康成『雪国』新潮文庫、1950年
谷崎潤一郎『刺青・秘密』新潮文庫、1950年
バルザック『ゴリオ爺さん』平岡篤頼訳、新潮文庫、1972年
川上弘美『センセイの鞄』文春文庫、2004年
ツルゲーネフ『初恋』佐々木彰訳、講談社、1976年
コーマック・マッカーシー『ザ・ロード』黒原敏行訳、ハヤカワepi文庫、2010年
瀬尾まいこ『卵の緒』新潮文庫、2007年
浅田次郎『壬生義士伝』文春文庫、2000年

山川健一（やまかわ・けんいち）

1953年7月19日、千葉市に生まれる。県立千葉高校、早稲田大学商学部卒業。大学在学中に「天使が浮かんでいた」で早稲田キャンパス文芸賞を受賞。1977年（昭和52年）『鏡の中のガラスの船』で群像新人文学賞優秀作。アメーバブックス新社取締役編集長、東北芸術工科大学文芸学科教授・学科長を経て、「私」物語化計画を主宰。早稲田大学エクステンションセンター専任講師。著作85冊が一挙に電子書籍化され、iBooksで登場。85冊を合本にした「山川健一デジタル全集 Jacks」はKindle他でも発売中。最新作「怪物のデザイナーと少年」を『「私」物語化計画創刊第1号 2023年《春》』に寄稿。最新刊は今井昭彦氏（ぴこ山ぴこ蔵）との共著『ChatGPTで小説を書く魔法のレシピ！ プロ作家とストーリーデザイナーが教える物語の秘密』（物語化計画ブックス）。

藝術学舎設立の辞

京都芸術大学
東北芸術工科大学
創設者　**徳山詳直**

2011年に東日本を襲った未曾有の大地震とそれに続く津波は、一瞬にして多くの尊い命を奪い去り、原発事故による核の恐怖は人々を絶望の淵に追いやっている。これからの私たちに課せられた使命は、深い反省による人間の魂の再生ではなかろうか。

我々が長く掲げてきた「藝術立国」とは、良心を復活しこの地上から文明最大の矛盾である核をすべて廃絶しようという理念である。道ばたに咲く一輪の花を美しいと感じる子供たちの心が、平和を実現するにちがいないという希望である。

芸術の運動にこそ人類の未来がかかっている。「戦争と平和」「戦争と芸術」の問題を、愚直にどこまでも訴え続けていこう。これまでもそうであったように、これからもこの道を一筋に進んでいこう。

藝術学舎から出版されていく書籍が、あたかも血液のように広く人々の魂を繋いでいくことを願ってやまない。

物語を作る魔法のルール
――「私」を物語化して小説を書く方法

2023年7月28日　第一刷発行

著　者　　山川健一（やまかわ　けんいち）
発行者　　徳山　豊
発　行　　京都芸術大学 東北芸術工科大学 出版局 藝術学舎
〒107-0061　東京都港区北青山1-7-15
電話 03-5412-6102　FAX 03-5412-6110
発　売　　株式会社 幻冬舎
〒151-0051　東京都渋谷区千駄ヶ谷4-9-7
電話 03-5411-6222　FAX 03-5411-6233
印刷・製本　株式会社シナノ

ISBN 978-4-344-95457-1 定価はカバーに表示してあります。